Estas ruinas que ves

Biblioteca Jorge Ibargüengoitia
Novela

Biografía

Jorge Ibargüengoitia (Guanajuato, México, 1928 - Madrid, España, 1983) fue un colaborador incansable de diversos periódicos, revistas y suplementos culturales de gran importancia en el medio cultural de Hispanoamérica. Su obra, una de las más importantes y originales del siglo XX, transita por casi todos los géneros: novela, cuento, teatro, artículo periodístico, ensayo y relato infantil. A lo largo de su trayectoria obtuvo varios de los reconocimientos más importantes de su época, como el Premio Casa de las Américas en 1964, el Premio Internacional de Novela México en 1974 y las becas del Centro Mexicano de Escritores, de las fundaciones Rockefeller, Fairfield y Guggenheim. La suma de su trabajo lo sitúa hoy como un autor imprescindible para entender la literatura latinoamericana actual.

Jorge Ibargüengoitia

Estas ruinas que ves

Bajo el sello editorial BOOKET M.R.
Avenida Presidente Masarik núm. 111, Piso 2
Colonia Polanco V Sección, Miguel Hidalgo
C.P. 11560, Ciudad de México
www.planetadelibros.com.mx

Diseño de colección: Marco Xolio
Adaptación de portada: Cáskara | Diseño y Empaque
Fotografía de autor: © Procesofoto

Primera edición en formato epub: mayo de 2018
ISBN: 978-607-07-5074-8

Edición original: 1975
Primera edición en esta presentación: octubre de 2019
ISBN: 978-607-07-6330-4

Impreso en los talleres de Litográfica Ingramex, S.A. de C.V.
Centeno núm. 162-1, colonia Granjas Esmeralda, Ciudad de México
Impreso y hecho en México –*Printed and made in Mexico*

Nota del autor

Quien haya leído la primera edición de este libro notará que en esta segunda edición hay un cambio notable en el último capítulo, «Los adioses». Considero que el final de esta versión es más fiel a la sicología de los personajes y a la realidad.

J. I.

ESTAS RUINAS QUE VES

Los habitantes de Cuévano suelen mirar a su alrededor y después concluir:

—Modestia aparte, somos la Atenas de por aquí.

Cuévano es ciudad chica, pero bien arreglada y con pretensiones. Es capital del Estado de Plan de Abajo, tiene una universidad por la que han pasado lumbreras y un teatro que cuando fue inaugurado, hace setenta años, no le pedía nada a ningún otro. Si no es cabeza de la diócesis es nomás porque durante el siglo pasado fue hervidero de liberales. Por esta razón, el obispo está en Pedrones, que es ciudad más grande.

—Los de Pedrones —dicen en Cuévano— confunden lo grandioso con lo grandote.

Todos están de acuerdo en que la ciudad ha visto mejores días. Para ilustrar su decadencia, suelen referirse al Oro, un pueblo fantasma que está allí cerca, que a fines del siglo XVII tenía más habitantes que los que ahora tiene Cuévano, la cual, afirman, fue una de las ciudades más importantes de la Nueva España.

—Esto que ve usted aquí —le dicen al visitante— no es más que rastrojo de lo que fue.

A lo que el recién llegado debe responder:

—¿Pero cómo rastrojo, si esta ciudad es una joya?

Si no dice algo por el estilo, corre el riesgo de ofender al anfitrión, porque la añoranza de bienes pasados que parecen tener los habitantes de Cuévano es falsa. En el fondo están satisfechos con la ciudad tal como está. Creen que no hay cielo más azul que el que se alcanza a ver recortado entre los cerros, ni aire más puro que el que sopla a veces con fuerza de vendaval, ni casas más elegantes que las que están cayéndose en el paseo de los Tepozanes.

Son grandes innovadores. Siempre lo han sido. A esto se debe en parte que la ciudad no tenga más forma que la que le dieron los cerros, ni domine en ella otro estilo que el llamado cuevanense, que es fácil de reconocer, pero imposible de definir. Cada vez que una generación se junta con algo de dinero, tumba lo que hicieron las anteriores y levanta en lugar de lo derruido algo que, siendo nuevo, tiene aspecto de antigüedad traída de otra parte.

Pero el capricho de los habitantes no ha sido el factor determinante de la arquitectura y el aspecto físico de Cuévano. En este sentido es más importante la configuración del terreno, porque Cuévano fue fundada en cañada, en la confluencia de dos arroyos que al juntarse dan origen al famoso río de Cuévano que durante siglos ha regado parte del Plan de Abajo con agua envenenada.

Por estar la ciudad en cañada y por ser las lluvias poco frecuentes, pero torrenciales, los recuerdos más vividos que conserva la memoria comunal son de inundaciones o de sequías. A la incidencia de estos fenómenos se debe que todas las obras ingenieriles que se han hecho en Cuévano y sus alrededores tengan que ver con agua: la presa de las Siete Palabras, por ejemplo, fue construida para dar de beber a la población, la de los Atribulados y la de los Tepozanes lo fueron para evitar que se ahogara, lo mismo que el túnel de la Marranilla y el canal de la Hedionda.

Como el agua de las Siete Palabras llegaba a las casas con tinte rojizo en el invierno, hubo necesidad de construir los filtros de Santa Gertrudis, que a pesar de ser monumentales nunca llegaron a dar agua clara. Cuando esto ocurrió, los habitantes de Cuévano, que siempre han sacado de la resignación partido, dijeron:

—¿Para qué hacen filtros, si todos sabemos que el agua de aquí es colorada?

La ciudad está entre cerros, de los cuales, el más importante es el Cimarrón, que es distintivo de Cuévano. Los que nacieron allí y salen de viaje, saben, al regresar, que van acercándose a su ciudad natal al ver la cresta del Cimarrón, que se distingue desde el Plan de Abajo, a cuarenta kilómetros de distancia. Esta visión produce en los cuevanenses emociones profundas y variadas. A unos se les llenan los ojos de lágrimas, a otros el corazón les da brincos de alegría, otros, en cambio, aseguran que se les pone como puño cerrado, pero todos se vuelven lapidarios, y dicen cosas como: «En México no soy nadie, en Cuévano, en cambio, hasta los perros me conocen».

Pero si visto desde el Plan de Abajo el Cimarrón no es más que un cerro con cresta, aunque inconfundible, visto desde el lado opuesto, desde la presa de los Atribulados, con ojos devotos y entrecerrándolos, puede distinguirse en la cumbre, con toda claridad, la silueta yaciente del Cristo crucificado, con la corona de espinas en la punta del cerro y el pecho donde comienza el caserío.

Hay otras vistas. Desde cada casa de Cuévano pueden verse las de los vecinos, un pedazo de calle estrecha y en muchos casos precipitosa, la cúpula de una iglesia y la punta de un cerro, que de no ser el Cimarrón, puede ser el de la Bolita, el de la Peña Rodada, el de En Medio, el de la Caldera o el del Huenzontle.

También pueden verse a lo lejos las ruinas: minas inundadas, haciendas de beneficio abandonadas, iglesias destruidas, pueblos fantasma...

Cada ruina tiene su historia. La mina de la Reseca, por ejemplo, tiene el tiro más hondo del mundo, y el más lleno de agua. Alrededor de la boca de este tiro hay, hasta la fecha, una construcción de seis muros triangulares de piedra, dispuestos en círculo, que aparentemente no llenan ninguna función, ni la llenaron nunca. Esta construcción, explican los eruditos, se inició con miras de figurar una corona condal, en recordación de la que don Álvaro Luna recibió al comprar el título de Conde de la Reseca.

Del fondo de esta mina, sigue la historia, salieron tres cuartas partes de la plata que circula en el mundo, y el esplendor de la mina fue tal, que el Conde de la Reseca ofreció que si llegaba a Cuévano el Rey de España, él empedraría el camino que va de la mina a la ciudad con barras de plata —hay otra versión de esto que dice que con la plata que salió de la mina, hubiera alcanzado para empedrar... etcétera.

La Guerra de Independencia acabó con el esplendor de la Reseca y también con su dueño, porque el Conde murió en el sitio de Cuautla, según algunos a consecuencia del célebre cañonazo que disparó Narciso Mendoza, el niño artillero; según otros del tiro que le dieron cuando se paseaba frente a las líneas insurgentes con un bicornio emplumado, precedido de un tambor batiente y de un heraldo que decía su nombre y títulos.

La mina de Chiriguato, que no fue tan rica ni tuvo dueño pintoresco, tiene en cambio el tiro muy ancho y a cielo abierto. Un rayo de luz penetra hasta abajo un día del año —el trece de abril según unos, el veintiséis de septiembre según otros— y el sol se refleja en el agua que hay en el fondo. Esta imagen fue muy usada a principios del siglo por los jóvenes cuevanenses que tenían novias fuereñas. Agregaban a sus cartas pequeños poemas en prosa que decían, más o menos: «el día en que tú vienes a Cuévano es como el día en que un rayo de sol entra hasta el fondo de la mina, etcétera».

Pero dejando a un lado las minas para hablar de los cuevanenses, conviene advertir que los sabios que ha habido en Cuévano se cuentan por docenas. Los ha habido de todas las clases y en todas las épocas. Unos son devotos, como el padre Carcaño, que escribió en seis tomos los *Elogios de Nuestra Señora de Cuévano*; poetas, como don Régulo Hernández, que inventó la combinación métrica para versificar llamada «la copa», porque el poema, una vez compuesto y transcrito con cuidado, da sobre el papel el contorno del as de copas; filósofos, en su mayoría jesuitas, que fueron acumulando libros de teología hasta formar una de las bibliotecas más notables del país —cuando ocurrió la expulsión de la Compañía de Jesús, en tiempos de Carlos III, los expulsados tomaron precauciones para que la biblioteca no fuera mancillada por ignorantes, por lo que permaneció cerrada durante un siglo, al cabo del cual, los libros que no se desmoronaban al abrirse eran ininteligibles—; historiadores, como don Benjamín Padilla, autor de la más lúcida interpretación de nuestra Guerra de Independencia, interpretación que por desgracia ha quedado relegada al olvido, por no coincidir con la versión aprobada por la Secretaría de Educación Pública —don Benjamín considera que la Independencia de México se debe a un juego de salón que acabó en desastre nacional—; cronistas, como el presbítero Bóveda, a cuya pluma se deben las famosas *Crónicas de Cuévano* en las que se describen los sucesos más notables ocurridos en esta ciudad desde su fundación en 1540, hasta la muerte de su autor, en 1880, incluyendo episodios como la muerte de un médico, apellidado del Hoyo, que ocurrió a manos de una turba de pacientes enfurecidos.

Pero no solamente en las humanidades se han distinguido los cuevanenses, sino también en el conocimiento de las cosas materiales. La ciudad misma es monumento a quienes la construyeron y reconstruyeron, por consiguiente no hace falta hablar de ellos; en cambio, es más oscura la labor de los que trabajaron en las entrañas de la tierra y lograron interpretar el lenguaje de las piedras. De entre los geólogos, el más notable es don Valentín Escobedo, que pasó sesenta años caminando por los cerros con un martillito en la mano. Los descubrimientos que hizo este sabio son muy notables: a él se debe el de que en la región de la Hilacha existen rastros de menonita cuarzosa, y el de que ciertos silicatos, sometidos a altas presiones y en contacto con agua carbonatada, forman las cristalizaciones en abanico conocidas en el mundo científico con el nombre de su descubridor: escobedita. Don Valentín pasó los últimos años de su vida dedicado a lo que podría haber sido su obra cumbre: el trazo de localización de lo que él llamaba «la Gran Veta, Madre y Maestra», empleando un procedimiento de adivinación cuyos fundamentos se llevó a la tumba.

En el campo de las leyes la aportación de los cuevanenses es menos digna de nota. Esto se debe no a que la Universidad de Cuévano no haya producido jurisconsultos —al contrario, la ciudad está repleta de licenciados— sino a que los mejores de entre ellos hicieron camino a México y no volvieron a la provincia. Uno de los pocos que siendo famosos regresaron, tiene triste memoria. Es don Pedro Alcántara; llamado también «la Zorra», inventor no de leyes ni de interpretaciones notables, sino de procedimientos para evadirlas y para violarlas impunemente. A él se debe la invención de los casos conocidos legalmente como sustitución de responsabilidades, perjuicio de homónimo y anulación por confirmación, que entre chicaneros se llaman «golpe al de junto», «¿cómo te llamas?» y «tres en uno». Esto lo apunto nomás para que se vea que en todo han destacado los cuevanenses.*

* Lo anterior está tomado del *Opúsculo cuevanense* de Isidro Malagón.

1. A BORDO DEL ZARAGOZA

El carro *pullman* General Zaragoza, que hace el servicio de México a Cuévano desde antes de que Cárdenas nacionalizara el ferrocarril, tiene en el extremo un compartimento que se llama «salón fumador», que es en realidad sala de espera para entrar en el escusado.

El cerrojo del gabinete decía «ocupado», en la banca corrida estábamos sentados un hombre chaparrito, de anteojos, que leía la *Introducción a la Estética* de Wollheim, y yo, que tenía en las manos el manuscrito del *Opúsculo cuevanense* de Malagón.

Así estuvimos un rato, él leyendo, yo mirando, en el manuscrito, las letras, a través de la ventanilla los huizaches negros sobre el campo oscuro, en el vidrio mi reflejo, y en el interior del vagón, la puerta cerrada, la pantalla de vidrio amarillento con sedimento de insectos muertos, y en el perchero un saco que se movía como péndulo.

Era un saco muy fino, de gabardina excelente, ribeteado de seda, con botones de concha nácar. Un poco ridículo.

Hice cuentas: el que estaba detrás de la puerta —dueño del saco probablemente—, la había cerrado antes de que entráramos en Muérdago; acabábamos de pasar El Ahorcado, lo que significaba que había recorrido treinta y dos kilómetros sentado en el escusado.

Se oyó un chasquido y giró el cerrojo, la palabra «ocupado» en fondo rojo, había sido sustituida por «libre», en verde. Mi compañero de banca había suspendido la lectura y estaba mirando atento hacia la puerta del gabinete, que se abrió lentamente para dejar a descubierto a un hombre muy guapo: joven, de veintitantos, de facciones muy finas, cejas espesas, de beduino romántico, con mascada de seda en el pescuezo, una camisa muy cara y pantalones que hacían juego con el saco que estaba en el perchero.

Un joven de porvenir, pensé.

Él nos saludó muy serio, con una inclinación de cabeza, se paró frente al lavabo, se remangó y empezó a lavarse las manos.

Yo estaba levantándome del asiento cuando mi compañero de banca me dijo:

—¿Tiene usted inconveniente en que yo entre primero en el escusado?

Cuando me vio titubear —era mi turno— me explicó:

—No crea que soy abusivo. Ya sé que a usted le corresponde entrar, pero yo tengo enterocolitis.

El argumento me pareció contundente. Él entró en el gabinete y yo me quedé a ver cómo el joven de porvenir se lavaba minuciosamente las manos, la cara, las orejas y cómo después usaba, para secarse, todas las toallas que había en el toallero.

Un rato más tarde, cuando salí del escusado, el joven de porvenir se había retirado y en el fumador sólo estaba mi compañero de banca, secándose las manos con los faldones de la camisa.

—¡Esto es intolerable! —me dijo.

Poco después volví a encontrar a mi compañero en el pasillo, sentado en una cama baja, quitándose los zapatos. Una mujer trepaba por la escalerilla hacia la cama alta.

—No crea que soy descortés —me dijo, cuando pasé a su lado—. Es que las camas altas me dan a mí claustrofobia. Mi esposa, en cambio, no tiene inhibiciones y puede dormir perfectamente donde sea.

Sonreí cortésmente a la mujer, que estaba tratando de acomodarse en la cama sin enseñarme los muslos. Ella me sonrió a su vez. Tenía los ojos negros, los dientes blancos y los muslos bien hechos.

La noche fue como todas las que pasa uno en el General Zaragoza. Se acuesta uno a buena hora, si logra dormirse en seguida, a la medianoche despierta al entrar el tren en Apapátaro, que es gran centro ferroviario, y pasar el vagón sesgado sobre los lomos de ochenta y dos rieles. A la una y cuarto vuelve uno a despertar con el golpe que le dan al tren al agregarle, en la estación de Calderas, un vagón lleno de gente dormida que va a Mezcala. A las tres y diez, otro sobresalto. El tren ha llegado a Pedrones. Se oyen puertas que se abren y cierran, pasos de garroteros, aire comprimido que escapa, ruido de cadenas, el pito de una locomotora y un tren que se aleja. El General Zaragoza se ha quedado solo, en un escape, a quinientos metros de la estación. Siguen cuatro horas de calma. No hay más movimiento que la trepidación ligera que producen los trenes de carga al pasar, ni más ruido que el crujir de alguna cama, un ronquido esporádico, el bostezo de algún insomne o un pedo furtivo. A las siete de la mañana, un golpazo. El vagón ha sido enganchado en el tren que hace el servicio entre Pedrones y Cuévano. La etapa final del viaje está a punto de comenzar.

Aquella mañana, después del último susto volví a quedarme dormido, desperté demasiado tarde y cuando terminé de rasurarme estábamos entrando en Tepetates, que es la estación de Cuévano. Las camas habían sido en su mayoría levantadas, el joven de porvenir había ocupado con sus maletas el vestíbulo del vagón e impregnado el ambiente con el olor de la loción que se había untado después de rasurarse. Tras él, en el pasillo, había otros viajeros con equipaje, listos para descender. Mi compañero de banca y su mujer seguían en su lugar, tratando de cerrar a fuerzas una maleta.

Fui el último en bajar del tren. Los viajeros iban por el andén, caminando hacia los taxis. Vi que había más viajeros que taxis y decidí echar a correr. Dejé atrás a mi compañero de banca y a su mujer, a los demás viajeros, y por fin, al joven de porvenir y su cargador que iban a la cabeza. Llegué jadeante pero el primero, a la fila de taxis. Cuando ponía mi maleta en la cajuela de uno de ellos, vi que alguien había ido a recibir al joven de porvenir. Estaba cerca de un coche negro, forcejeando con el doctor Revirado —uno de los personajes más ilustres de Cuévano— que se empeñaba en cargarle el portafolios. El joven de porvenir me parecía despreciable, pero me daba envidia.

Pedí al chofer que me llevara al hotel Padilla. Mientras él ponía en marcha el motor, me di cuenta de que todos los taxis habían sido ocupados y que en la estación sólo quedaban a pie mi compañero de banca y su mujer. Él estaba mirándome, levantó el brazo y lo agitó con ademán desesperado. Pedí al taxista que esperara. El hombre de los anteojos se adelantó; llevaba un portafolios en la mano. Su mujer cargaba la maleta.

—¿Tiene usted inconveniente en compartir el taxi con nosotros? —me preguntó él.

Mientras él se acomodaba en el asiento trasero, el chofer y yo nos apeamos y ayudamos a su mujer a poner la maleta en la cajuela. Cuando estuvimos todos dentro del taxi, el hombre de los anteojos dio una dirección en el centro de Cuévano y después me dijo:

—No vaya a creer que soy encajoso. Lo que pasa es que me urge llegar a casa, porque tengo que preparar un discurso. Yo me llamo Enrique Espinoza. Ésta es mi esposa, Sarita.

Le sonreí a ella por segunda vez y ella me sonrió a mí.

—Yo soy Francisco Aldebarán —les dije.

Espinoza se dio un puñetazo en la frente.

—¡Debí habérmelo imaginado! ¡Usted es el nuevo profesor de Literatura! Pues somos colegas. Yo doy Filosofía.

Todo esto yo lo había deducido desde que lo vi leyendo la *Introducción a la Estética.* Nos dimos la mano efusivamente, como dos exploradores que se encuentran en la mitad de la selva. ¡Qué coincidencia, haber viajado en el mismo tren y no habernos dado cuenta de que éramos colegas!

Era el principio del segundo semestre, el profesor de Literatura que me había precedido se había caído muerto en la cena de Navidad; de entre los aspirantes a sustituirlo había sido elegido yo, más que nada, por tener la virtud de haber nacido en Cuévano.

—Vi un artículo suyo sobre *Las Soledades* de Góngora —me dijo Espinoza.

Empecé a disculparme. Le dije que lo había hecho a la carrera, que no había quedado como yo hubiera querido, que me había faltado rematar con una consideración sobre... Espinoza me interrumpió:

—Vi su artículo, pero no lo leí. Vi el título, el nombre del autor y di vuelta a la página. Yo nunca leo los suplementos culturales. No me interesan.

Dicho esto estableció un paralelo entre Góngora y Swedenborg. O, mejor dicho, apuntó semejanzas, para después demostrar que eran ilusorias y que esos dos autores no se parecían en nada. Mientras Espinoza hablaba, yo miraba a Sarita.

Era prieta pálida, sin más maquillaje que las rayas negras que se había pintado alrededor de los ojos. Tenía buenas piernas, metidas en medias negras. El vestido era color ala de mosca. Me daba la impresión de que si hubiera abierto la boca, yo hubiera podido ver un paladar negro, como el de los perros de raza. No hablaba, nomás me miraba con unos ojotes como espantados. Había en ella algo vagamente funerario pero sensual.

Los Espinoza se apearon en la esquina de la calle del Triunfo de Bustos y el callejón de las Tres Cruces. Los vi entrar en una casita amarilla de dos balcones. Sarita cargaba la maleta.

En Cuévano hay algo que produce en el observador la sensación de que lo que está viendo no es acontecimiento único, sino acto ritual que se ha repetido todos los días a la misma hora desde tiempo inmemorial y se seguirá repitiendo hasta la consumación de los siglos. A las nueve y media de la mañana, por ejemplo, junto a la puerta del «Ventarrón» habrá siempre un borracho dormido, en la entrada del mercado, la que vende los quesos espantará las moscas con un hilacho, en las escaleras del Banco de Cuévano, el gerente platicará con el millonario Bermejas, en las de la parroquia el señor cura tendrá coloquio con una beata con barbas apodada el Archimandrita de Pénjamo. Por Campomanes irá bajando Sebastián Montaña, rector de la Universidad, que se dirige a la Flor de Cuévano a tomar el primer café exprés del día. Carlitos Mendieta, el pintor más famoso de la ciudad, estará sentado en una banca del Jardín de la Constitución, dejando que un bolero le lustre los zapatos; a su lado estará el historiador Isidro Malagón, leyendo un periódico de Pedrones, *El Sol de Abajo.* En un balcón de la calle de la Torcaza estará reclinado Ricardo Pórtico con una bata de seda con lamparones de grasa; por el paseo de los Tepozanes, cuesta arriba, caminando por hacer ejercicio, va el agiotista Madroño, quien, según las malas lenguas, lleva aparato cuenta pasos en el bolsillo; más arriba, una de las hermanas Begonia regará el limonero con el chorrito de la manguera. De pronto, el taxi girará a la derecha, saldrá de la avenida, pasará bajo el arco triunfal que dice «Bienvenidos al Gran Hotel Padilla», y se detendrá frente a la marquesina de la entrada, en donde siempre habrá tres mozos de librea jugando futbol.

El aspecto exterior del Gran Hotel Padilla se explica, según Malagón, porque al construirlo, su dueño, el Pelón, se inspiró en la tarjeta postal que le mandó su amigo el doctor Revirado de Montecarlo y que representaba el Casino. La fachada y el vestíbulo del hotel resultaron tan caros que llevaron al hotelero al borde de la ruina. A esto se debe que el interior del hotel no se parezca en nada al exterior y sea más sobrio.

Como siempre, al detenerse el coche frente a la entrada, se suspenderá el juego de futbol, como siempre, los mozos de librea se pelearán por cargar la maleta, como siempre a esas horas, el Pelón Padilla estará en la administración, en mangas de camisa, componiendo el menú del día, me preguntará por mi familia, me dará el cuarto número 27.

En mi habitación, una vez que se retiró el mozo, fui a la ventana y levanté las persianas. A través de los vidrios vi el jardín del hotel: los rosales, los agapantos, la buganvilla y la barda cubierta de geranios. Al otro lado de ésta está la casa morisca de los Revirado. Allí vi algo que nunca antes había visto. En un balcón del piso superior estaba una joven apoyada en el barandal. Abrí la ventana y oí su risa clara. Dijo algo, pero no pude distinguir las palabras.

Se dirigía a alguien que evidentemente estaba en la acera. Se oyó la voz de un hombre y ella volvió a reírse. Me gustaba verla en el balcón, me gustaba oírla reír.

Entonces me di cuenta de que el que estaba en la acera y la hacía reír era el joven de porvenir.

Cerré la ventana y empecé a deshacer mi maleta.

2. EL BANQUETE

—No vayas a creer, Paquito —me dijo Malagón, que caminaba a mi lado—, que el Gordo Villalpando es mejor o peor que los otros gobernadores que ha tenido el Plan de Abajo. Lo que lo distingue de los demás es que se crió en Cuévano y que aquí pasó su juventud. Por eso le tiene cariño a la ciudad y la está beneficiando tanto. Un ejemplo: en el lugar en que declaró su amor a la que ahora es su esposa mandó hacer unos jardines flotantes. Otro ejemplo: en recuerdo de los años que pasó en Cuévano de estudiante, le ha dado a la Universidad permiso de tumbar una pared e invadir lo que antiguamente era casa de los padres jesuitas, que es por donde vamos caminando.

Íbamos por un corredor dieciochesco, con arquería de cantera labrada, que formaba parte de lo que se llamaba «el Anexo»: siete salones y un patio que hasta pocos meses antes había sido la casa del capellán de San Ignacio y que habían pasado a formar parte de la Universidad de Cuévano.

Fue aquél un día memorable y afortunado para la Universidad. A las tres de la tarde el Gobernador inauguró los salones nuevos y a las seis renunciaron los Siete Sabios de Grecia.

Íbamos detrás del rector Sebastián Montaña, quien había querido enseñarnos a unos cuantos —«antes de que llegaran los políticos»— lo que estaba a punto de ser inaugurado. Los mozos estaban lavando el piso, los albañiles quitaban los últimos andamios y en el patio se veían los preparativos del banquete —porque para celebrar el evento cultural, el Gobernador dio esa tarde una comida íntima a la que asistimos ciento cincuenta personas—.

Llegamos al Aula Pascual Requena, el nuevo salón de actos. Los mozos que estaban en la puerta colgando el listón rojo, con moño, que el Gobernador iba a cortar con unas tijeras a la hora de inaugurar, suspendieron su trabajo para dejarnos pasar.

Era un salón encalado, con butacas de madera.

—En este recinto, de apariencia tan modesta —dijo Sebastián Montaña—, se cocinará la pócima que va a revivificar a la provincia y permitirle ocupar el lugar cimero que le corresponde en la lucha contra el oscurantismo.

Los que oímos esto, guardamos un silencio respetuoso.

Espinoza se había puesto un traje oscuro, que lo hacía sudar. Sarita, su esposa, acababa de salir del salón de belleza y había cambiado el vestido color ala de mosca que llevaba en la mañana por otro igual, pero menos arrugado. Malagón, que era profesor de Historia, llevaba puesto el único atuendo que se le conocía: un traje gris con manchas de huevo en las solapas. Sebastián Montaña se veía elegantísimo. Costaba trabajo creer que no estaba vestido de jaquet, sino de azul marino. Carlitos Mendieta, que no se había quitado el sombrero, se me acercó y dijo en voz baja:

—¡Qué profanación! Éste era el salón de música. Aquí le dieron un concierto a Maximiliano cuando pasó por Cuévano. ¡Sólo a Sebastián se le ocurre encaucharlo y bautizarlo con el nombre de un bergante!

Me explicó por tercera vez por qué detestaba a don Pascualito Requena. La enemistad databa de la época en que Pascualito fue rector —uno de los más ineptos— de la Universidad de Cuévano:

—Yo le dije: «hombre, don Pascual, ¿cómo es posible que una ciudad tan culta como Cuévano tenga una universidad en la que no se imparta clase de dibujo al desnudo?». ¿Qué crees que me contestó?: «Si de manejar el lápiz se trata» —decía esto imitando la voz de don Pascualito, que era dientón y le sobraban pellejos—, «lo mismo aprenden los muchachos dibujando un tepalcate que un pecho». No quería herir las susceptibilidades de las señoritas estudiantes. A mí me molestó tanto su actitud retrógrada, que escribí un artículo en *El Sol de Abajo* acusándolo de embolsarse los tres pesos que hubiera cobrado en aquella época Raquelito, la modelo, por una sesión de una hora. Nunca, óyelo, Paco, nunca ha contestado Pascual Requena a aquella acusación que yo hice en letras de molde. Tomó la venganza del déspota: me quitó la única fuente de ingresos que tenía yo en esa época, mis clases de dibujo constructivo y al natural. Por eso lo detesto y me parece ignominioso que hayan bautizado con su nombre el salón más importante de la Universidad.

Carlitos terminaba siempre esta relación excitado, con las manos temblorosas —era uno de los episodios más dramáticos de su vida—.

Por los corredores venían a nuestro encuentro Ricardo Pórtico, que es según la leyenda el único cuevanense civilizado, su esposa Justine, que no es francesa sino venezolana, y caminando entre ambos, el joven de porvenir.

—El ingeniero Rocafuerte —dijo Ricardo al hacer la presentación.

El joven de porvenir me reconoció inmediatamente, dijo que nos habíamos conocido en el tren y me estrechó la mano con efusión. Esto me halagó. A Espinoza, en cambio, lo saludó con parsimonia, como si nunca lo hubiera visto en su vida. Esto me halagó todavía más.

Sebastián Montaña y Ricardo llevaron al recién presentado al Aula Pascual Requena, de la que nosotros acabábamos de salir, y los demás nos quedamos en el corredor.

—Este hombre —dijo Malagón—, es el que le anda vendiendo al Gobernador un sistema de computadoras que vale millones. Las van a usar para cobrar los impuestos. Parece que van a correr a la mitad del personal de la Oficina de Rentas.

—A mí me da la impresión —dijo Espinoza—, por su manera de vestir y sus modales, de que es sodomita.

—¿Qué qué? —preguntó Carlitos.

—Que es sodomista —dijo Sarita.

—¿Ah, sí?

—Yo —dijo Justine—, lo único que sé es que usa el mismo vetiver que mi recamarera.

Los Siete Sabios de Grecia, llamados así por no ser ni siete ni sabios ni griegos, eran seis profesores viejos que durante muchos años habían dominado la Universidad de Cuévano. Sebastián Montaña, que era su peor enemigo y que había luchado por quitarles atribuciones, había querido ponerles sus nombres a las nuevas aulas, con la esperanza remota de que teniendo ya el memorial asegurado, los Siete Sabios dejaran de sentirse obligados a asistir a clases. El séptimo salón había sido bautizado a última hora con el nombre de mi antecesor: el profesor que se había caído muerto durante la cena de Navidad.

Subimos una escalera estrecha y por una puertecita salimos a la azotea. Allí escuchamos a Sebastián hacer hincapié en la solidez de la bóveda que estábamos pisando y en la sobriedad del conjunto que teníamos a nuestros pies. Comparó el color de la piedra con los pétalos de una rosa, y señaló el contraste entre aquella, el azul del cielo y el verde del cedro viejo que había en el patio vecino.

Después nos llevó a la parte del edificio que colindaba con la iglesia de San Ignacio. Desde la azotea se veía la iglesia, enorme, y entre sus contrafuertes, un corralito minúsculo que servía de gallinero. Entre los pollos andaba un sacerdote de sotana y pantuflas, leyendo el oficio. Era el padre Hildebrando, capellán de San Ignacio.

—Este hombre —dijo Sebastián Montaña con voz sonora— ocupó durante años el espacio en que ahora estudiarán holgadamente trescientos estudiantes. La arquería de cantera estaba pintarrajeada de aceite, el patio servía de tiradero, en el refectorio dormían las cabras y en el Camerino de la Santísima Virgen, la cocinera.

El padre Hildebrando dejó de leer, levantó la mirada y saludó a los que estábamos en la azotea con una inclinación de cabeza. Nosotros, incluyendo a Sebastián Montaña, contestamos de la misma manera.

Nos fuimos a otra parte de la azotea, en donde no pudiera vernos el padre Hildebrando. Sebastián y Rocafuerte tuvieron, para lucirse, una polémica sobre cuál de las veintitantas linternillas de iglesia que se alcanzaban a ver era la mejor.

—Mire usted, licenciado —dijo Rocafuerte al defender el perfil de San Antoñito—, la balaustrada, el tambor, la media naranja, el tambor de la linternilla, ¡no hay un quiebre! Hasta el gallo de la veleta está integrado.

—No me diga usted eso, ingeniero, no haga que me enfurezca. ¿Cómo va usted a comparar la linternilla de la Visitación, que es un poema, con el barril de pulque que dejaron olvidado los albañiles que hicieron la cúpula de San Antoñito?

La discusión nunca llegó al final, porque se abrió la puertecita por la que habíamos salido, dejando el paso a unos hombres con anteojos verdes, que venían reventando la ropa. Uno llevaba carabina, otro metralleta y el tercero un *walky talky*. Eran los guardaespaldas del Gobernador que iban a tomar posiciones.

—Hagan el favor de desalojar la azotea —dijo el que iba adelante.

Obedecimos con cierta precipitación.

Cuando bajábamos la escalera, Carlitos Mendieta me dijo:

—Estas precauciones las toma Villalpando porque el mes pasado lo balacearon en el camino a Pedrones.

—Puro delirio de grandeza —dijo Malagón— alguien lo habrá confundido con una liebre y le tiró un escopetazo.

—¿No opina usted que el uso de guardaespaldas es indicio de que hay algo podrido en el gobierno? —preguntó Espinoza al joven de porvenir.

—Yo prefiero no opinar —contestó éste—, porque no soy de aquí sino del D. F.

Sebastián Montaña, viendo que faltaba un rato para el banquete, nos invitó a la rectoría a que viéramos una Adoración de los Reyes Magos que había rescatado del patio de Hildebrando, y a que probáramos un mezcal muy famoso que tenía guardado en su escritorio.

El edificio de la Universidad, como muchos otros de Cuévano, está lleno de pasillos y escaleras. No hay manera de dar diez pasos sin tener que bajar dos escalones, subir tres o dar la vuelta a un recodo.

Íbamos de dos en fondo. Sarita, que llevaba tacones muy altos, se quedó sola, mero atrás. Caminaba erguida, mirando al frente. Cuando bajaba escalones tenía vibraciones inesperadas. A veces se detenía y se quedaba leyendo pequeñas etiquetas pegadas al muro que decían:

«chancros, sífilis, gonorrea. Doctor Fandango. Calle del Triunfo de Bustos 22». Cuando se dio cuenta de que yo estaba mirándola, sonrió por cuarta vez.

La Adoración de los Reyes Magos no era gran cosa, pero entre que el joven Rocafuerte le ponía peros y Carlitos Mendieta pedía que lo dejaran restaurarla antes de que se cayera en pedazos, se pasó el tiempo. Cuando fuimos al patio donde iba a ser el banquete, ya la policía había cerrado la puerta, y para que nos dejaran pasar tuvimos que entregar nuestras invitaciones al capitán Hinojosa, jefe de la guardia de corps y uno de los hombres más brutos de Cuévano.

Las tres mesas comunes habían sido puestas en los corredores del patio nuevo, la de honor, debajo del tablero de básquetbol. En el centro del patio, tomando copas, estaba lo más granado de Cuévano, los funcionarios, los agiotistas, los profesionales, los burócratas, el jefe de la zona militar y algunos profesores universitarios.

Nuestro grupo se deshizo. De pronto me encontré entre desconocidos, al lado del joven Rocafuerte, que me sonrió con simpatía y me dijo:

—Ven. Quiero presentarte a mi novia.

Cuando llegamos a donde estaban los Revirado, el doctor me reconoció inmediatamente:

—¿Pero cómo presentarme con este muchacho? —le dijo a Rocafuerte— ¡Si yo lo traje al mundo!

Era mentira. Mi padre lo detestaba y había preferido recurrir a una comadrona. Al doctor le salían pelos por las orejas. Doña Elvira, su esposa, me preguntó inmediatamente por mi madre, de quien pretendía ser amiga íntima.

—Ésta es Gloria —dijo Rocafuerte—. Gloria, éste es el profesor Aldebarán.

Gloria era la muchacha que yo había visto riendo, cuando me asomé a la ventana del hotel Padilla.

Costaba trabajo creer que el doctor y doña Elvira Rapacejo de Revirado hubieran tenido una hija tan atractiva. La madre era gorda pálida, la hija delgada y de buen color. El pelo rojizo del padre, que crecía en forma de mata brava, ella lo había heredado negro y sedoso. Ni padre ni madre tenían pescuezo, el de ella era uno de los más elegantes que he visto. Ni los ojos color de miel, ni la boca orgullosa tenían antecedentes visibles. Era bella y lo sabía. Miraba de frente y daba la mano en firme. Yo estaba estrechando la suya, cuando sus padres nos atosigaron:

—¿Pero no conocías a Gloria?

—¿No te acuerdas de Paquito?

Resultó que sí, en efecto, nos habíamos visto. Una vez, muchos años antes, en un viaje que mi familia hizo a Cuévano, los Revirado nos invitaron a cenar, y para llegar a donde estaba la cena pasamos por donde estaba una niña vestida de blanco, merendando chocolate. Aquella niña era Gloria. No había vuelto a verla. Ella me dijo que estaba inscrita en uno de mis cursos, el de Literatura Medieval.

Su padre intervino.

—Ya vi tu nombre en los periódicos, Paquito —se refería a mi artículo sobre *Las Soledades*—. Te felicito. No leí lo que escribiste, pero vi tu nombre. Ya ves que a mí no se me escapa nada.

En ese momento entró en el patio el Gobernador Villalpando, por una puerta chiquita, por la que nadie lo esperaba.

—Vamos a saludarlo —dijo el doctor.

—¿No quieres conocerlo? —me preguntó Rocafuerte—. Yo puedo presentarte.

Le di las gracias y le dije que francamente no quería conocer al Gobernador.

—A mí este político me simpatiza —me dijo Rocafuerte—, porque tiene una trayectoria muy limpia.

Se fue con su futuro suegro a hacer una cola que se había formado para darle la mano al Gobernador. Yo me proponía seguir platicando con Gloria —después de todo iba a ser mi alumna—, pero su madre —le decían «la Rapaceja»— metió su cuchara:

—No es bien visto —me dijo— que a dos mujeres solas se les vea platicando con un joven que no es ni novio de una ni marido de la otra.

Apenas tuve tiempo de cambiar con Gloria una mirada que significaba que los dos estábamos de acuerdo en que lo que acababa de decir su madre era una idiotez; la madre pastoreó a la hija hacia un grupo de mujeres con peinados convexos, que parecían esposas de funcionarios.

Cuando me quedé solo vi venir a Ricardo Pórtico, con un high ball en la mano, caminando de puntas y estirando el pescuezo, tratando de mirar por encima de las cabezas de la gente.

—¿No has visto a don Pascual Requena? —me preguntó.

—No.

—Pues la fiesta no puede empezar sin él. El Gobernador ya quiere inaugurar el salón y don Pascualito tiene que estar presente a la hora que el otro corte el moño. Ayúdame a buscarlo. Mientras no aparezca no comemos.

Me fui por mi lado de puntas, creyendo encontrar a cada rato la melena blanca de Pascual Requena. Me topé con Espinoza.

Él también buscaba a don Pascualito. Dejamos nuestras copas vacías en el basamento de una columna y cogimos otras, llenas, de la charola que llevaba un mozo. Seguimos buscando hasta que llegamos a donde estaban Malagón y Carlitos Mendieta. Eran los únicos que se habían sentado en la mesa, frente a una botella de whiskey. Nos sentamos con ellos.

—¿No han visto a Pascualito? —preguntó Malagón.

Gloria estaba en el centro del patio, platicando con dos mujeres. Algo se cayó al piso y ella se inclinó a recogerlo con sencillez y elegancia, poniendo en relieve una nalga muy bien formada.

Sarita se acercó a la mesa y se sentó a mi lado, me sonrió y me dijo:

—Tengo hambre.

—Vamos a ver —dijo Carlitos, leyendo el menú—. ¿Qué quiere decir *potage à la cressonière*?

—Sopa de papa y berro —dijo Ricardo Pórtico, que también se había sentado.

Justine se acercó a la mesa.

—Traigo noticias: Sebastián ya dio órdenes de que se haga la inauguración aunque no esté Pascualito, porque se enfría la sopa.

En efecto. La ceremonia se llevó a cabo —un poco a la carrera— en ausencia del principal festejado. Sebastián, el Gobernador con unas tijeras y los cinco Sabios restantes, anduvieron de arriba abajo y de un lado a otro, cortando listones, precedidos por los fotógrafos y seguidos por los guardaespaldas y los ciento cincuenta comensales.

Cuando todo estuvo inaugurado, nos sentamos a comer. La sopa estaba fría. El pescado —lenguado holandés, según el menú— fue pronunciado por los conocedores —los Pórtico— bagre de San Luis de los Carrizales.

—Es inconfundible —dijo Justine arrancando una espina que se le había enterrado en la encía— sabe a petróleo diáfano.

A Ricardo le pareció que el filete a la Chateaubriand se había pasado de tueste.

—No sólo eso —agregó— esta carne no se rebana así, sino más delgado.

Al llegar a los postres, Sebastián Montaña se puso de pie, pidió silencio y empezó a pronunciar el discurso de agradecimiento. No había pasado de la tercera frase cuando se oyó una campanada, después otra y por fin repicaron todas las campanas de San Ignacio, que son las más sonoras de Cuévano.

Al principio, Sebastián hizo pausas y habló entre campanadas, después trató de dominar con su voz el estruendo y por último cerró la boca, perdió la palidez habitual y se puso amoratado.

—¿Serán vísperas tan temprano —preguntó Malagón— o serán ganas de joder?

Ricardo Pórtico se puso de pie y me dijo:

—Acompáñame a San Ignacio a decirle al padre Hildebrando que se calle.

Nos abrimos paso entre mesas, salimos del Anexo por la puerta que habíamos entrado y al llegar al patio central encontramos a quien tanto habíamos buscado un rato antes: Pascualito Requena.

Levantaba el puño y tartamudeaba. Su mujer y sus tres hijas, vestidas de gran gala, con plumas de pájaro raro en la cabeza, trataban de tranquilizarlo.

—¡Zopenco! —decía Pascualito.

Frente a él estaba el insultado: el capitán Hinojosa, con impavidez de ídolo azteca.

—No me levante la voz —decía— porque soy la autoridad.

Cuando don Pascualito nos vio a Ricardo y a mí, nos dijo:

—¡Díganle a Sebastián que renuncio!

Hinojosa resumió la situación:

—El señor no tiene invitación y mis órdenes son terminantes: si no hay invitación no hay paso.

—¡No tengo invitación, porque no la recibí, pero soy el festejado! —gritó afónicamente Pascualito, y a nosotros, otra vez—: ¡Díganle a Sebastián que renuncio!

El repique de las campanas cesó en el momento en que los guardaespaldas entraron en San Ignacio, pero el otro problema, el de don Pascualito, no tuvo remedio. Primero le impidieron el paso y después le rogaron que entrara. De nada sirvió.

De nada sirvió que Sebastián saliera a pedirle disculpas y a tratar de explicar que si no había recibido la invitación era por un error... inexplicable. De nada sirvió que el secretario de Gobierno le pidiera a nombre del Gobernador, que pasara a la mesa de honor. Pascualito se quedó en el lugar en que Hinojosa le puso el alto, allí mismo dictó su renuncia, allí la firmó y allí renunciaron, por solidaridad, los otros cinco Sabios de Grecia. Por esta razón aquella fecha quedó grabada en la memoria de los cuevanenses como afortunada para la Universidad.

3. DEL ATARDECER A LA MEDIANOCHE

1

Yo creo que aquella tarde nadie entendió realmente lo que estaba pasando. La rabia impotente de un viejo al mismo tiempo venerable y detestado, la presencia en el lugar de la humillación de la esposa y las tres hijas jamonas pero solteras del humillado, las palabrotas que dijo éste último en su exasperación —nunca se oyeron unas más gordas cruzar sus labios: zopenco, indio pendejo y mecachis—, el conocimiento, que se esparció como reguero de pólvora, de que don Pascualito era cardiaco y la posibilidad de que aquella escena ridícula tuviera desenlace trágico, unidos a la circunstancia de que todos los que estábamos allí —excepto los protagonistas— habíamos bebido todo lo que habíamos querido, hicieron de aquel momento trascendental para la Universidad algo dramático, pero confuso.

Nadie supo apreciar, hasta tiempo después, por ejemplo, la maestría con que Sebastián Montaña manejó la situación. Estuvo espléndido. Empezó diciendo, «don Pascual, yo le suplico..., mil perdones..., si quiere usted, me arrodillo...», frases todas que contribuyeron a que don Pascualito se pusiera más furioso y más bravo. En este punto, Sebastián cambió de tono y le dijo: «serénese..., el paso que va usted a dar es trascendental», para terminar con «si insiste usted en darme su renuncia, escriba en ella que es definitiva e irrevocable».

La ceremonia de la renuncia, como todo en la vida de don Pascual Requena, desde su noviazgo hasta su libro sobre tipificación de delitos, fue demasiado larga. Como el humillado se negaba a entrar en las oficinas, hubo que sacar una máquina de escribir al patio, y Juanito Barajas, el secretario de la Universidad, tomó el dictado y produjo, después de varias correcciones, un texto, que llenó cinco cuartillas a renglón seguido, al pie del cual firmaron los Siete Sabios de Grecia.

Mientras esto ocurría en el patio principal, los que regresamos al lugar del banquete nos bebimos dos cajas de cognac Martell.

Cuando salimos a la calle estaba atardeciendo. Por la de San Ignacio, cuesta abajo, se alejaban varias parejas, las mujeres con vestido de cocktail y los maridos cayéndose. Cuesta arriba caminaban penosamente dos licenciados del brazo, cantando el *Maldito a huevo*. La familia Revirado y Rocafuerte se metieron a fuerzas en el coche chiquito que Gloria conducía, que un instante después estuvo a punto de aplastarme contra el testerazo que hay donde se junta la calle de San Ignacio con la del Sol. Gloria se despidió de mí agitando la mano y sonriendo, sin darse cuenta de que yo había dado el brinco que me salvó la vida por pura casualidad.

Cuando llegamos a la Plaza de la Libertad, Carlitos

Mendieta hizo que nos detuviéramos y paseó la mirada por los cerros, donde se estaban encendiendo las lucecitas.

—«Al atardecer —dijo con voz temblorosa—, los cerros de Cuévano se tiñen de color de rosa». Esto lo dijo el Barón de Humboldt.

—¡Qué Barón de Humboldt, ni qué ojo de hacha! —dijo Malagón— eso lo dijo Gabriela Mistral cuando pasó aquí dos días en 1934.

En ese momento Espinoza se dio cuenta de que su mujer no estaba con nosotros. Dejamos a Carlitos y a Malagón discutiendo el origen de la frase citada y volvimos sobre nuestros pasos en busca de Sarita.

Habíamos dado unos cuantos pasos cuando la vimos venir. Cojeaba, estaba despeinada, tenía las mejillas húmedas de lágrimas, parecía desesperada. Espinoza corrió hacia ella y la tomó en sus brazos.

—¿Qué tienes? ¿Qué te hicieron? ¿Quién te faltó al respeto?

Miró a su alrededor y vio que unos ejidatarios se alejaban por la calle del Sol. Yo noté que a Sarita le faltaba un zapato. Ella dijo, entre sollozos:

—Allí.

Y señaló una coladera del desagüe.

Espinoza ha de haber imaginado a su esposa siendo violada en la coladera del desagüe por los ejidatarios que acababan de dar vuelta en la esquina. Pero en vez de seguirlos, para reclamarles, condujo a su mujer cariñosamente y con mucho cuidado, hacia la estatua de la Libertad —una gorda con lanza, los pechos de fuera y gorro frigio— y la sentó en el basamento. Trataba de consolarla con palabras solícitas. Yo fui a la coladera del desagüe y allí encontré el zapato de Sarita, que se había atorado en la rejilla.

Era un zapato bastante usado, casi contrahecho, caliente aún, palpitante. Lo llevé con todo respeto a donde estaba su dueña, sentada en el basamento, rodeada de mis tres amigos. Cuando llegué, Espinoza, le dijo:

—Mira, ¿ya ves? No fue nada. ¿No estás contenta? Aquí está tu zapato. Sano y salvo.

A ella le seguían escurriendo lágrimas. Miró su zapato, me miró y dijo algo. No se le entendía nada. Estaba más borracha que los demás.

Espinoza ayudó a su mujer a calzarse, y nos pusimos en marcha. Cruzamos la plaza de la Libertad, entramos por el pasaje donde venden los churros —los de Cuévano son de fama—, que comunica la bajada de Campomanes con la calle del Triunfo de Bustos y llegamos a la casa de los Espinoza. Mientras éste buscaba en la bolsa de su mujer la llave y abría la puerta, Carlitos Mendieta se sintió en la obligación de darle un consejo médico.

—Acuéstala y dale un té caliente, porque tiene principio de resfriado.

Había llegado a esta conclusión porque Sarita estaba moqueando.

A Espinoza la salud de su mujer no le preocupaba.

—¿Cómo vamos a separarnos así? —nos dijo—. Un día tan bonito como éste no puede terminar en que ustedes se vayan muy contentos y yo me quede aquí cuidando una borracha.

Quedamos de vernos un rato más tarde, en el Gran Cañón del Colorado, una cantina que estaba allí cerca.

2

—¿Qué les parece este lugar? —preguntó Malagón—, ¿no es verdaderamente diabólico?

En el Gran Cañón del Colorado todo era rojo, la paredes, las mesas, las sillas, la hielera. En el piso había serrín y huesos de manitas de puerco.

Nos sentamos en una mesa redonda; en el centro de la cantina. La luz fluorescente nos hacía parecer todavía más cadavéricos de lo que estábamos. El Colorado, que conocía a Malagón y lo trataba de «licenciado», se acercó a pasar el trapo y a preguntar qué queríamos. Malagón, que tomaba muy en serio su papel de anfitrión, propuso que para contrarrestar los efectos del cognac, tomáramos algo refrescante; un changuirongo, que es tequila con cocacola.

Al poco rato, Espinoza se reunió con nosotros y nos dio la noticia de que Sarita dormía profundamente. Después de indagar los ingredientes del changuirongo y de titubear un poco, aceptó tomarse uno.

En una mesa de la cantina había cuatro hombres jugando dominó, en otra, un parroquiano solitario y melancólico, que nos miraba fijamente. En la pared con letras azules, decía: «¡Ah, qué el Colorado, siempre con sus sabrosas botanas!» En un nicho estaba la Virgen del Perpetuo Socorro, con Niño coronado, veladora y flores marchitas. Carlitos Mendieta sacó su libreta de apuntes y empezó a dibujar.

No recuerdo de qué hablamos. Pero si la conversación se ha borrado, las interrupciones, en cambio, quedaron grabadas indeleblemente.

La primera ocurrió cuando hablaba Malagón. Lo vi quedarse callado a media frase, ponerse serio y mirar al vacío, como si el Espíritu Santo estuviera descendiendo sobre mi hombro izquierdo. Volteé a ver qué pasaba. El parroquiano melancólico y solitario se había levantado de su lugar y estaba a mi lado, mirándome con simpatía.

—¿Qué se le ofrece? —le preguntó Malagón con severidad.

La pregunta quedó ignorada y sin respuesta.

—¿Qué se le ofrece? —preguntó Malagón en falseto.

En vez de responder, el otro dijo, dirigiéndose a mí:

—¿Ya no te acuerdas de mí?

—No —le dije.

—Te voy a decir quién eres. Tú eres Toño.

—No.

—¿Cómo que no? ¿No eres Toño, el de Rinconada?

—No. Soy Paco el de aquí de Cuévano. Y no me diga de tú, porque no nos conocemos. Dígame de usted.

—¡Tú lo que quieres es que yo me haga bolas!

Para demostrar el desagrado que le causaba mi actitud, escupió en el serrín del piso, aplastó el escupitajo con el zapato y regresó a la mesa donde había estado antes.

No tardó en regresar. Cuando Malagón lo vio venir por segunda vez, se puso todavía más adusto y le dijo:

—Óigame, joven. Ya el señor le explicó que no es Toño, ni es de Rinconada. Hágame el favor de retirarse, porque estamos platicando cosas muy importantes.

Como si nadie hubiera hablado. El otro jaló una silla y se sentó a mi lado. Me miraba con cariño.

—Soy Juanjo. ¿Ya no me reconoces?

—No.

Malagón se impacientó.

—Colorado, hazme el favor de llevarte de aquí a este hombre, que nos está interrumpiendo.

Juanjo me dijo:

—Yo era el que hacía las tortas. ¿Ya no te acuerdas de las tortas? Yo las hacía y tú te las comías en la oficina, cuando trabajabas en Conciliación y Arbitraje.

El Colorado agarró del brazo al intruso, lo obligó a levantarse y lo condujo sin violencia, pero con mano firme, a su lugar, asintiendo con la cabeza a las quejas que el otro le daba.

—Primero me dijo que era mi amigo y ahora ya ni se acuerda de mí.

Se quedó un rato en su lugar más melancólico que antes, contemplando la injusticia social. No volvimos a acordarnos de él hasta que Carlitos Mendieta pegó el grito:

—¡Ave María Purísima!

Juanjo se había puesto otra vez de pie y en ese momento se preparaba para mear sobre nosotros.

Nos levantamos de un brinco y corrimos hacia un rincón, para evitar el riego.

—¡Esto es intolerable! —exclamó Espinoza, mientras corría, sacudiéndose el pantalón.

Malagón, como comandante de tropas en retirada, fue el primero en dar órdenes.

—¡Colorado, sácalo!

No era fácil. El Colorado no podía salir de su puesto tras la barra sin cruzar la línea de fuego. El enemigo seguía avanzando hacia nosotros que estábamos en plena confusión. Afortunadamente los que estaban jugando dominó fueron en nuestro auxilio. Dejaron el juego y se echaron sobre el orinante, tomándolo por la espalda.

Lo abrazaron, le pusieron una zancadilla, lo tumbaron al piso, se revolcaron con él, lo levantaron en vilo, lo llevaron a la puerta y le dieron puntapiés para que se fuera.

La armonía que hubo después en el Gran Cañón fue admirable. Para agradecer a los del dominó su oportuna intervención, les convidamos una copa; para desagraviarnos y quitar la mala impresión que pudiera habernos causado el incidente, el Colorado convidó una copa a todos, y para que nadie saliera perjudicado, Malagón dijo que nosotros pagaríamos la cuenta del Juanjo, el corrido. Hubo brindis:

—Señores licenciados, por sus mercedes —dijeron los del dominó.

—Compañeros, por las de ustedes —dijo Malagón, que adoptaba tono revolucionario cada vez que le convenía.

El Colorado sacó una escoba, barrió el serrín meado, y espolvoreó serrín nuevo. Al hacer esto, recogió un objeto del piso, lo llevó a la mesa de los que jugaban dominó y les preguntó si era de alguno de ellos; nos preguntó lo mismo a nosotros. Nadie reconoció el objeto.

Era una cajita de hoja de lata antigua, de pastillas para la tos.

—Como ustedes pagan lo del señor que se acaba de ir —dijo el cantinero—, esta caja y lo que tenga adentro es suyo.

La dejó en la mesa.

Carlitos se interesó en la cajita como antigüedad, pero advirtió que aquellas pastillas eran contraproducentes, yo agité la caja y me di cuenta de que lo que tenía adentro no eran pastillas, Espinoza la sospechó de estar llena de liendres, Malagón dijo que aquella caja era propiedad privada y que no teníamos derecho de quedarnos con ella ni de abrirla, por ser ajena y por consiguiente, sagrada.

Dicho esto, abrimos la caja. Estaba llena de fotografías pornográficas.

—¡Qué ingenioso! —dijo Carlitos Mendieta examinando una foto que ilustraba la posición llamada «el salto del venado».

—Yo creo que esta colección tan interesante —dijo Malagón— no debe ser dividida. Conviene conservarla intacta.

Propuso que la jugáramos al cubilete. Carlitos y yo estuvimos de acuerdo. Espinoza, alejó de sí las fotos que tenía enfrente y dijo algo muy importante:

—Jueguen las fotos entre ustedes tres. Yo no necesito ilustraciones. En ocho años que tenemos de casados, mi mujer y yo hemos recorrido toda la gama de la experiencia sexual.

Los otros, que éramos solteros, lo miramos con respeto.

El Colorado llevó el cubilete a la mesa. Yo tiré pachuca, Carlitos Mendieta par de ases y Malagón ganó las fotos con tres dieces. Muy satisfecho, las puso otra vez en la cajita y las guardó en la bolsa interior del saco. Con esto terminó la sesión en el Gran Cañón del Colorado.

3

Malagón vivía en el callejón de la Potranca, en casa buena de barrio pobre, decía él, de dos pisos, con balcón corrido. Llegamos a ella tropezando por el callejón oscuro y mal empedrado.

A pesar de la oscuridad cinco niños gangosos estaban jugando futbol frente a la puerta de Malagón con una pelotita de hule. Tan absortos estaban en el juego, que tuvimos que empujarlos para hacerlos a un lado. No se daban cuenta de que cuatro adultos borrachos estaban forzando el paso para entrar por el gol.

Una vez dentro, Malagón encendió las luces, subimos la escalera y llegamos a la biblioteca. Malagón nos enseñó una primera edición del presbítero Bóveda, y sirvió «algo corto y fuerte, para el desempance»: brandy del país. Estábamos hojeando al presbítero cuando ocurrió la catástrofe.

Primero se oyó el impacto, después vimos la pelotita de hule, que acababa de golpear en la vidriera, rebotando en el balcón. Malagón palideció. Estaba furioso. Recuerdo la violencia con que abrió la vidriera, la intensidad casi epiléptica de su cuerpo cuando les mentó la madre a los niños futbolistas, y después, la sorpresa con que escuché la respuesta. Los niños gangosos, a coro, usaron el nombre de Malagón como insulto. Sonaba horrible. Malagón levantó el brazo, oímos un cristal que se quiebra, y después, silencio en la noche. Malagón cerró la vidriera con movimientos reposados y aire satisfecho.

Poco después llegó la policía.

Nunca vi a nadie recibirla de tan buena gana.

—¿Que hay una acusación contra mí? Muy bien. ¿Que una señora se queja de que rompí el vidrio de su ventana? Correcto. ¿Que tengo que presentarme en el juzgado para aclarar el asunto? Mejor. Vamos al juzgado y que la señora de enfrente se atenga a las consecuencias. Voy a levantar un acta y dejar constancia de las iniquidades que cometen a diario esos niños oligofrénicos de paladar taladrado.

La presencia del sargento y del gendarme nos quitó la borrachera. Mientras Malagón buscaba entre sus papeles documentos que lo acreditaran dignamente, el sargento nos dijo aparte a los otros tres.

—Díganle a su amigo que más le vale arreglarse aquí con nosotros, porque en el juzgado la cosa no va a estar tan sencilla.

De nada sirvió el consejo. Malagón estaba tan entusiasmado ante la perspectiva de ir a la cárcel, que no hubo manera de detenerlo. Cuando salimos a la calle, él tomó la delantera, caminando con grandes zancadas por callejones estrechos que él escogía buscando el camino más corto para llegar al juzgado. Los de la escolta se fueron tras él por miedo de que se escapara, y nosotros tras ellos, por inercia.

—¿No será este el momento de decir «pies, para qué os quiero», como hacen en las novelas de capa y espada? —preguntó Carlitos Mendieta, jadeante.

No hubo ni tiempo de responderle. Los callejones se abrieron y desembocamos en la calle del Triunfo de Bustos, precisamente frente al caserón conocido desde 1910 como «los juzgados nuevos».

4

Entramos en un cuarto alumbrado por un foquito que colgaba del techo. En una banca estaba una mujer llorosa rodeada de seis o siete amigas que trataban de consolarla. Supimos que habíamos llegado a nuestro destino, porque nos miraron como si fuéramos el diablo.

En el otro extremo de la oficina estaba el licenciado Redoma tras de su escritorio. En la pared había una foto del Gobernador Villalpando, un letrero que decía Agencia del Ministerio Público, y sobre el escritorio, la cajita de hoja de lata de pastillas para la tos.

En el rostro del licenciado Redoma podía leerse con claridad este mensaje: «este asunto no se arregla con cincuenta pesos».

—Vamos a hablarle a Sebastián Montaña —dijo Carlitos Mendieta y fue a pedir permiso para hablar por teléfono.

La demandante no se había contentado con quejarse de la rotura de un vidrio. Acusaba a Malagón de intento de perversión de menores —echándolas por la ventana, el demandado había puesto aquellas fotos al alcance de los hijos de la quejosa, que tenían seis, siete, ocho, nueve y diez años de edad, respectivamente—, y de atentado al pudor —la intención del demandado era obvia: que la de la voz, al ver las fotos, se excitara y accediera a satisfacer los más bajos instintos del mencionado Malagón—, con agravantes —el marido de la quejosa andaba de bracero ilegal— y antecedentes —en una ocasión, la demandante estaba bañándose en una artesa que había puesto en el patio de su casa, cuando notó que el demandado estaba en la azotea de la suya «mirándola con tamaños ojotes»—…

—¿Pero nunca se ha visto en un espejo? —gritó Malagón, furioso, cuando oyó esta parte de la acusación—. ¿Cómo cree que yo voy a intentar seducirla?

Las amigas de la demandante le echaron al demandado miradas que significaban dos cosas: 1) que estaba muy feo para escoger, 2) que si despreciaba a la demandante era nomás por prejuicios de clase.

Malagón, bajo protesta de decir verdad, dijo que había arrojado la cajita de hoja de lata con las fotos pornográficas a la ventana de la demandante porque estaba furioso, quería romper un vidrio, y era el primer proyectil que había encontrado a la mano. Nadie le creyó.

—Lo que debió haber echado —dijo Carlitos Mendieta en voz baja—, es el caracol marino que tiene en el balcón, atrancando la ventana.

—Lo que hay que hacer en estos casos —dijo Espinoza, que había ejercido la abogacía—, es jurar sobre la Constitución que uno no ha roto el vidrio, ni puesto los ojos en la cajita que lo rompió.

En poco rato, Malagón perdió la serenidad, la sed de justicia y el pleito. Cuando terminó de rendir su declaración estaba tartamudeando y convencido de que las pruebas reunidas en su contra eran abrumadoras.

En ese momento entró Sebastián Montaña en la oficina del Ministerio Público y todo cambió.

Sebastián era estrella en los tribunales. Antes de ser rector había sido juez de todo: de lo civil, de lo penal, de distrito, colegiado y de la suprema. En los juzgados se dirigía por su nombre y en diminutivo a las empleadas —Lolita, Laurita, Elenita— y a los magistrados les decía de tú.

Fue derecho a donde estaba el licenciado Redoma, quien se levantó apresuradamente y le dio la vuelta al escritorio para saludarlo.

—¡Hermano! —dijo Sebastián.

—¡Licenciado! —dijo el otro.

Y se abrazaron. Yo creo que en ese momento la quejosa y sus amigas comprendieron que todo estaba perdido. El mexicano humilde que busca justicia vuelve a no encontrarla.

Sebastián y el licenciado Redoma se fueron a un rincón, agarrados del brazo y allí estuvieron platicando. Quince minutos después estábamos en la calle.

5

Malagón levantó la mirada, vio las estrellas y dio gracias por su liberación al Destino —no a Dios, porque era el ateo más famoso de Cuévano—. Guardó la cajita de hoja de lata con las fotos pornográficas en la bolsa y propuso que fuéramos a cenar las famosas enchiladas de doña Cenobia en el bordo de la presa de los Atribulados, a la luz de la luna, junto a los jardines flotantes. Nos pusimos en marcha, de cinco en fondo, tomados del brazo, y empezamos a cantar *La última carcajada de la cumbancha.*

Cantando, del brazo y cuesta arriba, recorrimos los cuatro kilómetros que hay entre los juzgados nuevos y la presa de los Atribulados. Cuando llegamos, muertos de hambre, doña Cenobia había levantado los trastos y estaba poniendo el anafre, el comal, la silla y la canasta de los platos a bordo del penúltimo camión de aquella fecha. Faltaban diecisiete minutos para la medianoche.

Nos separamos. Sebastián Montaña, Espinoza y Carlitos Mendieta subieron en el camión con intenciones de ir a cenar bistec con papas en la Flor de Cuévano, que estaba abierta hasta la una de la mañana; Malagón me acompañó hasta el hotel Padilla a pie.

Caminamos en silencio, mirando el Cimarrón, el perfil del Cristo en la noche clara, la luna reflejándose en el agua fangosa de la presa de los Tepozanes, las siluetas de los fresnos y las araucarias en el parque de las Tres Garantías, las escaleras de Nuestra Señora de Cuévano, los insectos volando alrededor de los faroles...

Malagón me preguntó:

—¿Será verdad que Espinoza y su señora han recorrido toda la gama de la experiencia sexual?

Durante un rato caminamos discutiendo lo que cada quien cree que es «toda la gama», y sobre la experiencia sexual. Cuando la casa de los Revirado estuvo a la vista, me acordé de Gloria.

—¡Qué guapa es Gloria Revirado! —dije.

—Sí. ¡Pobre!

—¿Por qué pobre?

—Su historia es la más triste que he oído.

Lo miré sin entender. Nos habíamos detenido en la parada del camión que queda frente al arco triunfal del hotel Padilla. Malagón me dijo:

—Gloria nació con un defecto en una arteria, que hizo que el corazón, al palpitar, se esforzara más de la cuenta. De tanto ejercicio, el corazón, que es un músculo como cualquier otro, fue creciendo y ahora Gloria lo tiene tan grande que apenas le cabe en el cuerpo. Es un corazón grande, pero enfermo. Puede reventar en cualquier momento. Sus padres la han llevado a los Estados Unidos, ha estado en los sanatorios más caros, la han examinado los especialistas más famosos. Todos están de acuerdo: Gloria no tiene remedio. El día en que Gloria haga el amor por primera vez y tenga su primer orgasmo, el corazón va a estallar.

Sonaron las doce en el reloj de Nuestra Señora de Cuévano, se oyó el ruido del camión que bajaba rodando, con el motor apagado. Malagón lo abordó al pasar; en el estribo levantó la mano, en despedida; el camión siguió rodando hasta perderse de vista en una curva.

Miré la casa de los Revirado. Algo había cambiado. Como que de ella salía una emanación melancólica.

4. ¡QUÉ RARO DESTINO!

—¡Qué raro destino! —dijo Rocafuerte durante el desayuno—: yo vine a negocio a Cuévano y ahora parece que voy a salir de aquí casado. Esto que tienes frente a ti —agregó, refiriéndose a sí mismo comiendo una rebanada de sandía marchita— es un hombre en capilla. El día en que el Gobernador firme el contrato de las computadoras, yo hablaré al doctor Revirado y le diré cómo, cuándo y con qué quiero casarme con su hija. Digo que es un destino raro, por lo inesperado. Yo, Paco, he tenido mujeres de todas formas, de todas edades, con toda clase de mañas, pues óyeme bien esto que voy a decirte: ninguna me dio el golpe que me ha dado Gloria.

Mientras él hablaba yo estaba pensando para mis adentros: «¿de qué está hablando éste, si Gloria es inválida?». Le pregunté si ella estaba enterada de sus planes matrimoniales. Él, en vez de contestarme, me contó la historia de su amor.

Era así: el Gobierno del Estado del Plan de Abajo necesitaba máquinas de escribir nuevas. El doctor Revirado era amigo del Gobernador y también del gerente de Wenworth y Smith de México. Él dio a la compañía el pitazo y se encargó de presentar con el Gobernador al enviado de la compañía —Rocafuerte— cuando llegó a Cuévano.

—Es muy cierto que el doctor Revirado estaba pensando en la comisión que le toca, pero no vayas a creer que el trato que me ha dado es por conveniencia. Es amistad de la buena. Dejó una operación pendiente con tal de llevarme a visitar la Troje de la Requinta y la pared frente a la que fue fusilado el licenciado Zendejas. Otra vez, en lugar de atender a un enfermo de peritonitis me llevó a visitar el mausoleo de la familia Retama. Una noche me invitó a cenar en su casa, allí conocí a Gloria y con eso, debo confesarte, me dio la puntilla.

Al servirse frijoles refritos dijo:

—Lo que más me gusta de Gloria es su ingenuidad. Es una muchacha que carece por completo de malicia. ¿Crees tú que eso sea anormal, que me atraiga una mujer por honesta? A veces se me ocurre que soy un degenerado.

Para tranquilizarlo le dije que Gloria era lo bastante guapa para que sin perversidad de por medio le dieran a uno ganas de acostarse con ella. Iba a decirle que eso precisamente me había pasado a mí cuando me la presentó, pero preferí callarme la boca.

Mientras yo hacía el elogio de Gloria, Rocafuerte me miraba con desconfianza, como dudando si estaría yo faltándole al respeto a su novia. Ha de haber decidido que no, porque siguió su relato.

Tanto le gustó Gloria, me dijo, que quiso volver a verla. Por eso le buscó ramificaciones al negocio y lo hizo crecer hasta que las ventas posibles de su compañía al Estado del Plan de Abajo pasaron de unas cuantas máquinas de escribir a un sistema complicado de computación del que todo el mundo hablaba.

—Ya nomás falta que el Congreso local apruebe la operación lo cual es pura formalidad, para que se firme el contrato.

El doctor y la Rapaceja estaban encantados con la habilidad de Rocafuerte para los negocios —como que iban a recibir parte de la comisión—, lo veían como si fuera de la familia, pero lo trataban mejor que a los hijos varones y le otorgaban una tolerancia rayana en alcahuetaje. Un día, según Rocafuerte, el doctor se llevó el periódico y las pantuflas a otro cuarto para dejarlos solos a él y a Gloria. En otra ocasión la Rapaceja le dijo a su hija: «lleva al ingeniero al fondo de la huerta para que vea el rosal de Castilla».

—Yo conozco a las mujeres —me dijo el joven de porvenir—. Cuando una señora dice eso, es que tiene el ojo puesto en yerno.

Todo esto no era más que el marco, en el centro estaba su amor por Gloria.

—Es una muchacha formidable —me dijo—. Una mañana me agarró del brazo y me llevó por una calzada de eucaliptos que casi nadie conoce a ver los jardines flotantes; una tarde en la que yo estaba jugando ajedrez con el doctor, Gloria interrumpió el juego para llevarme a ver meterse el sol entre las montañas desde el bordo de la presa de los Tepozanes. ¿Te das cuenta? Es una romántica. Yo soy un hombre muy práctico, pero me da gusto que haya gente así. Por cierto que, cuando estábamos en el bordo empecé a sentir una sensación extraña. Yo estaba recargado en la balaustrada y ella se había colocado de tal manera que con el pecho me rozaba ligeramente el brazo. Si hubiera sido otra mujer yo hubiera pensado que se me estaba insinuando, pero tratándose de Gloria todo es diferente. Era pura alegría que sentía de estar junto a mí contemplando un espectáculo bellísimo. Cuesta trabajo comprender que, a pesar de haber vivido mucho tiempo en ciudades, Gloria sigue siendo una muchacha de provincia.

Estuve a punto de preguntarle si estaba enterado de que la muchacha de provincia iba a morírsele entre los brazos en el primer momento culminante, pero no me atreví.

Nos separamos en el vestíbulo del hotel. Rocafuerte subió a lavarse los dientes —tenía cita con el secretario de Gobierno— y yo salí del hotel. Estaba atrasado. Mi primera clase de Literatura Medieval —que no había preparado— empezaba en veinte minutos.

Salí a la calle, pasé bajo el arco triunfal pensando que convenía iniciar el curso con algunas ideas generales sobre las condiciones sociopolíticas de Europa en la Edad Media, y crucé el paseo de los Tepozanes contando los reinos árabes de España en tiempos de Alfonso el Sabio. Cuando llegué a la parada del camión, me vino la idea de dar el antecedente romano, que desequilibró el plan que acababa de trazar. En ese momento vi otra vez la casa de los Revirado y su emanación melancólica volvió a apoderarse de mi mente.

La Gloria de Rocafuerte, novia de pueblo y joven romántica no tenía ningún interés. En cambio, Gloria, imaginada detrás de aquellas paredes, a solas con su enfermedad, era personaje trágico.

Estaba yo pensando en la ironía de que algo bello, noble e inalcanzable estuviera encerrado en aquella casa tan fea, cuando se abrió la puerta de ésta y lo bello, noble e inalcanzable apareció con unos libros apretados contra el pecho, bajó la escalera con agilidad y subió en el cochecito con espectáculo de piernas. Un momento después, el cochecito arrancó con estruendo, dio una vuelta cerrada, tomó el carril derecho librando por unos centímetros al camión que subía la cuesta, y se detuvo frente a mí. Gloria abrió la portezuela.

—¿Va usted a clase? Yo también. Suba.

Me senté a su lado. Ella tenía falda corta y las piernas largas y firmes y de buen color.

—¿De qué va a tratar la clase?

Me sonreía con dientes magníficos.

—No tengo la más remota idea —le dije—. No la he preparado.

Ella rio con su risa cristalina que tanto me había gustado el día anterior, cuando ella estaba asomada en el balcón, cuando yo ignoraba que ella estuviera enferma del corazón. Ahora la misma risa tenía algo de presagio, que me hacía pensar en cosas trascendentales, como la condición humana, la imperturbabilidad divina, etcétera.

—Ya me lo imaginaba —dijo Gloria refiriéndose al que yo no hubiera preparado la clase—. Lo vi pasar a la medianoche frente a mi casa cantando *La cumparsita*, del brazo de sus amigos. ¿Para quién fue el gallo?

Comprendí que como buena cuevanense frívola estaba convencida de que toda acción masculina tiene motivos galantes. Si canta uno a la medianoche es porque está enamorado y porque va caminando derecho a la ventana de la mujer amada. Por más que traté no hubo manera de convencerla de que a veces está uno borracho y para celebrar que un amigo se ha librado milagrosamente de la cárcel, se pone a caminar por las calles, cantando y mirando la luna, para rematar —lo que no ocurrió— el paseo comiendo enchiladas en el bordo de la presa de los Atribulados.

Esta incomprensión, viniendo de una mujer bella y condenada a morir joven, me pareció exasperante.

—¿No se da cuenta —exclamé— de que la vida no es el nido de lagartos que tienen las mujeres de por aquí metido en la cabeza?

Este exabrupto ella lo tomó como otro juego galante y soltó otra carcajada cristalina.

Para cambiar de conversación le pregunté dónde había estudiado.

Su curriculum vitae, como el de la mayoría de las cuevanenses, era patético. Primaria y secundaria con las madres redentoristas, preparatoria en la Ciudad de México, con las hermanas del Divino Verbo, después, sus padres habían querido que aprendiera inglés y la habían mandado dos años a Houston —como que allí están, pensé, los mejores especialistas en males cardiacos— con las monjas adoratrices. Dos años en Filosofía y Letras, en México, eran su única instrucción laica. Ahora estaba a mi lado, yendo a su primera clase en la Universidad de Cuévano.

Mientras ella hablaba yo la miraba. A primera vista nadie hubiera creído que estuviera tan enferma. Su piel era limpia y de excelente color, sin congestiones varicosas, poros abiertos u otros signos de circulación defectuosa. Su esclerótica era perfecta, de un blanco casi azulado. Observé sus labios, esperando encontrarlos amoratados por dentro. Nada. Al contrario, eran frescos y carnosos.

Manejando era peligrosa. Cada minuto era un riesgo. Sospecho que no sabía que la velocidad de los coches se puede regular. Era arbitraria. Vio a cien metros de distancia que una anciana reumática empezaba a cruzar la calle y no disminuyó la velocidad, ni se desvió, siguió platicando como si nada pasara y no cortó la frase ni cuando las llantas izquierdas del coche pasaron sobre el talón de una chancleta; en cambio frenó bruscamente —con golpe de mi frente en el parabrisas— para dejar pasar un perro. En otra ocasión entró en sentido contrario y casi atropello a un hombre que bajaba, mirando para otro lado, por el callejón del Estaño. Las curvas las tomaba indecisa, como quien viaja en el lomo de una serpiente y no sabe la forma que va a adoptar en el momento siguiente.

No era una muchacha común. Su conversación estaba llena de información inesperada. Por ejemplo: las monjas redentoristas insistían en que sus alumnas internas usaran corpiño y calzones, de manta en el verano, de franela en el invierno; su hermano mayor, que era ingeniero y vivía en otra parte, tenía cinco años cuidándose una amibiasis imaginaria, que lo hacía lavar, subrepticiamente, para que las criadas no se ofendieran, por segunda vez todos los platos con agua clorinada; el agiotista Madroño, a quien vimos por San Felipe Neri caminando cuesta abajo, tenía la costumbre de terminar su caminata tocando la pata del unicornio de bronce que está a la entrada del teatro de la República, etcétera.

No anteponía pos ni agregaba tú, a cada frase, como acostumbran hacer la mayoría de las cuevanenses —«pos te diré, tú»—, empezando por su madre, ni abría las vocales, lo que le daba a su conversación una distinción notable —para ser cuevanense—.

Estacionó el coche con bastantes trabajos en la calle del Sol. Al apearse noté dos cosas que me llamaron la atención: un joven estudiante, que estaba parado en la esquina, miraba en nuestra dirección fijamente; Gloria, que estaba cerrando la portezuela, se había puesto roja.

Entramos juntos en la Universidad y en el patio nos separamos. Yo fui a orinar.

En la Universidad de Cuévano los escusados están en un semisótano. Arriba del mingitorio hay una ventila, a través de la cual puede uno ver, mientras orina, las piernas de los que están en el patio. Aquella mañana alcancé a ver, entre el bosque de piernas, a Gloria, que había llegado al otro extremo del patio y empezaba a subir la escalera, y al joven estudiante que acababa yo de ver parado en la esquina, que la alcanzaba, la tomaba del brazo y la obligaba a detenerse. Él le dijo algo —una o dos palabras, no más— y ella se molestó. Después él siguió subiendo la escalera, de tres en tres peldaños. Ella se fue tras de él quizá explicándole algo que él no había entendido y que estaba juzgando con demasiada severidad.

5. APUNTES

A las ocho de la mañana abro las persianas. Me quedo un rato mirando hacia la casa de los Revirado. Hay movimiento tras los visillos de una ventana. ¿Será el cuarto de Gloria? La vidriera tiembla. Alguien trata de abrirla. Por fin se abre de par en par.

En vez de Gloria aparece el doctor en piyama color vino. Sale al balcón y respira hondo el aire puro. Poco después aparece su mujer en bata con holanes que lleva dos tazas, ha de ser té de hojas de naranjo; tiene la cara de un color espantoso. El doctor toma una de las tazas y da un traguito.

Observo a la pareja con curiosidad y benevolencia.

Miran a su alrededor. El doctor señala al cielo, que es azul intenso; la Rapaceja señala la jacaranda, que empieza a florear. El doctor dice algo como de que hay que escarbar debajo del plúmbago y su mujer dice que sí. En ese momento se abre otra vidriera —la segunda del primer piso— y aparece Gloria en bata amarilla, que cuelga una toalla en el barandal del balcón, vuelve a entrar en su cuarto y a pesar de que me quedo esperando media hora, no la vuelvo a ver.

Es viernes. Desayuno con Rocafuerte. Está muy contrariado. Me dice que ayer pasó la tarde y parte de la noche con el Gobernador. Por más lucha que hizo Rocafuerte, no logró que el otro firmara el contrato de las computadoras, que ya fue aprobado por el Congreso local. Villalpando estaba «bolo», es decir, borracho de los que no pueden ver, ni oír, ni entender, ni abrir la boca. En la madrugada, los guardaespaldas lo levantaron de la silla y él habló por primera vez, para decir que quería ir al hotel Padilla a comer huevos con chorizo y tomar Valpolicella. El Pelón Padilla en persona, dice Rocafuerte, cocinó los huevos y él mismo los sirvió en el comedor privado con un traje oscuro puesto sobre la piyama.

Para Rocafuerte esto es un descalabro. Sin el contrato firmado, me dice, no se atreve a hablar con el doctor Revirado de su matrimonio con Gloria. Me alegro.

El Pelón Padilla es el puente que une al doctor Revirado con el Gobernador Villalpando. Es amigo de mucho tiempo del primero y tiene tratos secretos con el segundo.

Según Malagón, el Pelón Padilla fue, antes que hotelero, intendente en un hospicio. Allí le ha de haber entrado la obsesión de que nada de lo que trae del mercado salga del comedor en forma de desperdicio. Todo tiene que salir en la barriga de los huéspedes. El aguayón del otro día, por ejemplo, que se llamó «ternera Talleyrand» en su primera presentación, ha reaparecido en forma de ragú, de taquitos de salpicón, de hamburguesas, de croquetas, de relleno de las «crepas Isadora» y todavía hoy encontré sus restos en el spaguetti a la boloñesa que me acabo de comer.

Cuando le pregunto a Malagón cuál es la índole de los tratos secretos que tiene el Pelón con el Gobernador, me contesta: «estás en libertad para imaginarte lo peor». Y me quedo pensando, ¿contrabando?, ¿homosexualidad?, ¿trata de blancas?

El caso es que de estos tratos se deriva la amistad del doctor Revirado con el Gobernador, la llegada de Rocafuerte a Cuévano, su noviazgo con Gloria, y probablemente su futuro matrimonio y la muerte de ella.

Nunca he sabido el nombre de pila del doctor Revirado, hoy descubro que su mujer, la Rapaceja, comparte conmigo esa oscuridad. Desde mi ventana la oí pegarle un grito a la criada:

—¿Eleudora, pos qué no ha llegado el doctor, tú?

Hoy, viernes, la profesora Irma Bandala, una mujer con bigotes, declaró en la Flor de Cuévano que Rocafuerte —descubrí que se llama Raimundo, porque Irma le dice «Ray»—, es el hombre más guapo que se ha sentado en estas sillas, y las hermanitas Verduguí, que estaban en la mesa de al lado, aplaudieron la afirmación. Los demás que oímos esto discutimos más tarde a Irma Bandala y llegamos a la conclusión de que está en plena menopausia.

Para evocar a Sebastián Montaña lo mejor es agregarle atributos de elegancia, por ejemplo, imaginarlo de smoking, al smoking ponerle cuello de palomita, a los cigarros que fuma, boquilla de carey, a los dedos, anillos. Al despedirse se pondrá fedora y bufanda antes de salir a la calle.

Un bastón y polainas gris perla completan el atavío. Pero esto no es más que metáfora. La manera en que Sebastián se vestiría si las pretensiones de su alma se convirtieran en ropa. En realidad, la que usa es común y corriente.

Tiene la piel del color de la cera, es decir, cadavérica, y el pelo entre castaño y rojizo, pero en su fisonomía, más importante que el color del pelo es la circunstancia de que lo está perdiendo. Tiene dos enormes entradas que le hacen la frente muy amplia, esto lo mejora, porque tiene la nariz larga y curva, los labios finos y la barbilla terminando en punta, lo que da al conjunto una apariencia ligeramente mefistofélica de la que él está muy satisfecho.

Ha sido magistrado y del sueldo que recibió por ese concepto ha vivido gran parte de su vida, pero en esa función no interesa. Su vida pública se desarrolló en el estrado, porque es orador famoso y ha sido maestro de varias generaciones, o bien frente a la mesa de algún café, porque es comentarista de todo y expositor clarísimo —y también ejemplo— de los problemas propios del intelectual de pueblo. También ha escrito libros y él mismo los edita, pero esto ya no es vida pública, porque el producto de estas labores nunca ha llegado a las librerías. Las ediciones completas están guardadas en un sótano, del que nunca han salido.

En la mesa del café, Sebastián nunca mira a nadie de frente. No por instinto torvo, sino porque alguien, probablemente una mujer, le dijo que tenía un perfil admirable. Siempre lo presenta. Deja las manos sobre la mesa, fija la mirada en un punto lejano —un anuncio de Kodak, o el nudo del mandil de la mesera— y habla durante horas. Su conversación es a veces inteligente y a veces obtusa, pero siempre pedante. Tiene voz de maestro, sonora y escupitosa.

En la mesa está la taza, la mano de Sebastián y un libro, que siempre está recién comprado, que nadie ha leído y que es imposible conseguir en Cuévano. Sebastián encarga sus libros cada mes a la Librería Porrúa. A esta costumbre de sacar libros a pasear se debe que sobre las mesas de la Flor de Cuévano hayan descansado por turnos, Nietzsche, D'Annunzio, Alfonso Reyes, Kafka y Heidegger, entre otros.

Sebastián está convencido de que una tarjeta suya, con un recadito de su puño y letra puede abrir cualquier puerta en Cuévano; le gusta la música y dice que ha llegado a entender hasta Hindemith y a nadie un minuto más moderno; su excentricidad más notable consiste en inventar nuevas reglas de urbanidad, como la siguiente:

«Entrar en sala de casa ajena cuando los dueños no están presentes y sentarse, es falta de educación; esto sólo se admite en los que venden jamoncillos o en las monjas que van a pedir mesada; el visitante común y corriente debe de permanecer de pie y esperar a que vengan los anfitriones, hojeando un álbum de familia, o admirando los cuadros que están colgados en la pared».

Aunque en la mesa del café hay de vez en cuando alguna dama —Irma Bandala o Cuca Larrañaga, o cuando menos, las hermanitas Verduguí— y aunque Sebastián tiene en casa mujer y varias hijas, su vida se desarrolla en un medio esencialmente masculino: para él el trato humano es comunicación de cerebro a cerebro, esto quiere decir, entre hombres, porque ¿quién va a saber lo que tienen en la cabeza las mujeres?

Los lunes son mi día más pesado: tengo tres horas seguidas de clase, doy tres materias que no me gustan a tres grupos que no me interesan. En ninguno de ellos está Gloria. No me queda ni siquiera la diversión que tengo los jueves de verla cruzar el patio a los diez para las cinco, al entrar en clase de Fonética.

Entre clase y clase me apoyo en el barandal. Se acerca un joven a mí. Es el amigo de Gloria. ¿O enemigo? ¿O novio? Amante no puede ser, porque Gloria está enferma. Es el muchacho quien hace unas semanas le hizo una reclamación a Gloria y ella lo siguió por las escaleras tratando de explicarle algo. Se apellida Angarilla, me dice. Que dirige una revista estudiantil —¡El *Parvum Organum*!— y quiere hacerme una entrevista. Hacemos una cita para el martes próximo en la Flor de Cuévano. Tengo que reconocer que es más alto que yo.

Estábamos en la Flor de Cuévano, cuando Sebastián Montaña, que nos estaba explicando una regla de educación que acababa de inventar, se interrumpió para ver a dos muchachas que acababan de entrar en el café, y exclamó:

—¡Pero miren nada más qué culos!

Uno de los culos era el de Gloria. Creo que me puse rojo.

Rocafuerte tiene todos los jueves audiencia con el Gobernador Villalpando, para tratar de las computadoras. Ha dejado de viajar en el Zaragoza, compró un Thunderbird blanco y en él aparece todos los jueves, a las doce del día, estorbando el tránsito. Se estaciona donde dice «prohibido» y entra en la Flor de Cuévano a buscar a Gloria. Usa camisas de colores fuertes y se amarra un pañuelito rojo en el pescuezo. No sé dónde toma el sol, pero está bronceado. Cuando va a ver al Gobernador se pone un traje azul pavo. El Gobernador, nada que firma el contrato.

Viernes. Mala suerte: Cuando estoy esperando a Gloria, aparece el doctor y me lleva a la Universidad en su coche negro. En el camino me cuenta un chisme.

—¿Ya supiste quién es el encuerado?

El encuerado, según me cuenta el doctor, es un personaje casi mitológico que se pasea por los callejones en las noches de luna envuelto en una sábana. Cuando encuentra en su camino a alguna doncella, se descubre —el doctor no dice el sexo, sus vergüenzas, etcétera, dice «el tilín tolón»—, y luego se queda allí parado viendo cómo la otra huye despavorida.

Bueno, pues según el doctor ya se sabe quién es el encuerado: es Malagón.

—Si voy a serte franco —me dice el doctor—, ya me lo imaginaba. Alguien que pudiendo vivir en el paseo de los Tepozanes vive en el callejón de la Potranca tiene algo de raro.

Después me cuenta la historia que yo sé mejor que él.

—La cosa llegó a tribunales. Hay acta levantada, Malagón llegó al juzgado caminando entre policías, los testigos se presentaron por docenas, y si se salvó de la cárcel fue gracias a la intervención de Sebastián Montaña, a quien, por supuesto, no le conviene que sus amigos de farra anden rodando por los tribunales.

No intento explicarle nada a este bruto. Me bajo en la calle del Sol y él se va convencido de que Malagón es exhibicionista.

Gloria llega tarde a clase. Entra en el salón cuando estoy explicando la serranilla extremeña —es un pequeño poema compuesto de versos cortos divididos en sextetos, septetos u octetos, en los que el primero de la primera estrofa rima con el último de la segunda, el primero de la tercera, el segundo de la cuarta y así sucesivamente—.

Mientras hablo estoy mirando a Gloria, que acaba de entrar, que me mira a su vez, sonríe con complicidad y camina de puntas hasta ocupar un asiento de la cuarta fila.

¿Por qué no llegó a tiempo? ¿Con quién demonios anda esta mujer?

Malagón me lleva a su casa y me lee el capítulo «La Crisis» de su *Opúsculo cuevanense.* La segunda parte dice así:

«Al principio nadie se dio cuenta de que las compañías estaban quebrando. Igual que el primer signo de que un barco está hundiéndose lo dan las ratas al abandonarlo, nadie comprendió que la situación de Cuévano era grave hasta que la ciudad estuvo medio vacía. Todo el que pudo se fue a vivir a otra parte, en busca de mejores fortunas.

»La ciudad quedó habitada principalmente por señoritas viejas, que salían de su casa a las cinco de la mañana para llegar a la iglesia a tiempo de comulgar, escudriñaban las calles desiertas con sobresalto, creyendo que la sombra de un hombre era bastante para echarles a perder la honra. Atesoraban monedas de cinco centavos que frotaban con limón y guardaban en roperos, pasaban horas cocinando menús económicos, sacudiendo los libros del difunto padre o enseñando a tocar el piano a las hijas del hermano muerto, por las tardes asomaban al balcón, a ver pasar a otras mujeres, que como ellas, se vestían de negro. Sus diversiones consistían en arreglar nacimientos, que por desidia quedaban expuestos hasta el Viernes Santo, y en juntarse con otras devotas para preparar festejos y celebrar las bodas de plata o el día del santo de algún sacerdote, en los que nunca faltaba un poema alusivo, un cuadro plástico, ni dulce de huevos reales.

»También quedaron las criadas de casa buena, que habían sido famosas por su manera de almidonar camisas o de hacer el pollo frito. Las familias se habían ido a vivir en la capital y ellas se quedaron en Cuévano, cuidando las casas y viendo cómo se caían los techos. Para ayudarse, porque los sueldos que recibían cada mes por correo eran ridículos, lavaban ajeno y hacían dulces por pedido que llevaban por las calles en platones. También iban a misa temprano y allí encontraban a las señoritas, que las conocían por nombre, las trataban con benevolencia y de vez en cuando les regalaban las sobras de algún platillo que se había echado a perder.

»Los hombres se ponían carrete y se paraban en la puerta del Casino, con los pulgares metidos en las bolsas del chaleco, a sospechar lo peor de los transeúntes. Los que estaban sanos hacían grandes caminatas después de la comida, para conservar la salud; otros eran licenciados y arreglaban prescripciones, testamentarias y pleitos entre difuntos en despachos en los que nadie había tenido cuidado de reparar las huellas de la última inundación, consistentes en una mancha en el cielo raso o una desgarradura en el papel tapiz. En un rincón había siempre una caja fuerte vacía.

»Los que salieron de Cuévano y fueron a vivir en México quedaron con el sentimiento de culpa que les hubiera causado abandonar un pariente cercano en el lecho de muerte. Hablaban de Cuévano como si se tratara de un enfermo grave. Los que iban a la provincia regresaban a la capital contando:

»—Está aquello como para llorar.

»O bien:

»—Vi a Margarita Miranda regando el jardín porque ya se murió el jardinero.

»Igual que el jardinero fueron cayendo otros personajes: el director de la banda de música, el encargado del archivo parroquial, el dueño del Correo de Ultramar, el doctor Fandango (padre), que había asistido al nacimiento y la defunción de varias generaciones de cuevanenses, y la pérdida más sensible, Marciano Segoviano, un hombre que nunca aprendió a leer, pero que fue paño de lágrimas de los que vivían en el paseo de los Tepozanes, porque sabía desde componer un corto circuito y destapar un caño hasta encuadernar un libro.

»El número de defunciones fue tal que un cuevanense, para ganarse la vida, inició la publicación de un folleto mensual llamado *El mensajero de la Virgen de Cuévano*, que no era más que listas de muertos con descripciones breves de sus vidas, que eran leídas con avidez por los radicados en México y que provocaban comentarios como:

»—Ya se murió la mendiga que se sentaba en los escalones de la parroquia.

»El ambiente funerario afectó el ánimo de los vivos. Uno de ellos se encerró en un cuarto y allí se quedó los veinte años que le quedaban de vida, sin hablar con nadie, ni decir qué quería de comer ni dar las gracias cuando le traían la comida.

»El señor cura también fue afectado: empezó a ver visiones al consagrar y al dar la absolución, se sentía indigno de administrar los sacramentos y dudaba de la eficacia de su intervención. Esto prolongaba la misa y en dar una absolución llegó a tardarse media hora. Lo notable del caso es que la gente nunca lo sospechó de estar poseído por el demonio —que era lo que él estaba creyendo—, sino que al verlo tan atormentado se convencieron de que era un santo, pero, claro, preferían oír misa en otra iglesia y confesarse con otro padre.

»La crisis duró hasta que un extranjero descubrió que las casas del barrio de San Antonio estaban hechas con adobes que contenían plata y mercurio».

Cuando Malagón termina de leer, le digo que su descripción de la crisis me parece bien, pero que no estoy de acuerdo en lo que él considera las causas. Malagón atribuye la crisis de Cuévano a las grandes sequías que hubo en los años del 28 al 32.

Yo no estoy de acuerdo, porque la economía de esta ciudad nunca ha dependido de la agricultura. Es más probable que las compañías americanas e inglesas hayan resentido los efectos de la depresión mundial de esos años y hayan dejado de trabajar las minas.

Malagón no acepta mi argumento. Se resiste a creer que un acontecimiento mundial haya determinado un fenómeno cuevanense. Para él «la crisis» es la de Cuévano, si ésta coincide con otra de dimensiones mundiales es cuestión que no le interesa.

Mientras discutimos, una imagen aparece en el fondo de mi cerebro, que es, Malagón, envuelto en una sábana, caminando por los callejones en noches de luna.

Estamos, los de siempre, en la Flor de Cuévano. En otra mesa está Gloria con las hermanitas Verduguí. Entra Rocafuerte, con camisa anaranjada y va derecho a la mesa donde está Gloria. Lleva en la mano una canastita cubierta con un mantelito bordado. Al llegar junto a Gloria, quita el mantelito y deja a descubierto un ramo de flores.

Todas las mujeres que hay en el café exclaman, «¡ay, qué lindo!»

Cuca Larrañaga, que es licenciada y está junto a mí, me dice:

—Mire. Así es como debe ser tratada una mujer.

Gloria, mientras tanto, se ha puesto roja. Por un momento pienso que no va a llegar al orgasmo y que lo que estoy presenciando es su fin. Después, la sangre se le baja, pero no se ve muy feliz. ¿O me equivoco?

Ceno en casa de los Pórtico. Al subir la escalera veo que la puerta de la biblioteca está abierta y la luz encendida. La biblioteca es un cuarto en el entresuelo con alteros de novelas policiacas sobre las sillas. Ricardo acaba de inventar una nueva modalidad del solitario —se trata de hacer par o tercia en vez de corrida, o algo así— y está echando las cartas sobre una mesa de paño verde. Me explica las reglas, que se me olvidan inmediatamente.

Justine ha dejado su trabajo habitual de en las noches —su catálogo de ideas fijas cuevanenses— y está absorta en la lectura de *El Sol de Abajo.* «MACABRO HALLAZGO», dice el encabezado. En el pueblo de Rinconada la policía desenterró los cadáveres de varias mujeres «que en vida fueron prostitutas». El desentierro fue hecho en un corral de una casa que es propiedad de las hermanas Baladro, «tres notorias lenonas de la localidad».

Pasamos al comedor y cenamos filete a la inglesa con papitas al vapor. Hablamos de Gloria. Cosa rara, ni Ricardo ni Justine sabían que Gloria estuviera enferma del corazón. La noticia les parece interesantísima. Durante hora y media revisan la historia de Gloria a la luz del nuevo descubrimiento encontrando nuevos significados a muchos de sus actos. De lo que dicen se desprende que Gloria ha tenido una serie bastante larga de pretendientes y a todos ha terminado por rechazarlos. El joven Angarilla no aparece en la lista. La conversación toma un curso grotesco y nos da la medianoche hablando de las postrimerías de Gloria.

¿Por qué tiene novios si sabe que está enferma? ¿O no lo sabe?

Entrevista con el joven Angarilla. Es experto en formular preguntas inhibitorias:

«Sabemos que usted es un cuevanense destacado, ¿quiere explicarnos a qué se dedica?», etcétera.

No es completamente imbécil. Más bien me parece malicioso. Quisiera preguntarle cuál es su relación con Gloria, pero no me atrevo. No quiero que vaya a suponer que yo tengo interés en ella.

Es estudiante de Historia, me dice. Está escribiendo su tesis sobre el liberalismo cuevanense.

¿Tendrá Angarilla algún atractivo irresistible para las mujeres?

Día de campo. Salimos a las nueve de la mañana con pan, queso y dos botellas de vino en el morral. Carlitos Mendieta se ha puesto botas fuertes, Sebastián, saracof, Malagón un sombrero sudado que él llama «mi chambergo con cintillo de esmeralda», y Espinoza lleva en la cabeza un pañuelo que ajusta con cuatro nudos en las esquinas.

Los atractivos de este paseo son varios: los garambullos, los cerros, la cañada, el pueblo en ruinas, y la iglesia con el Cristo Prieto del Reventón, que es una imagen muy milagrosa.

Carlitos, que es botánico experto, nos explica la flora de la región.

—Aquellos árboles que se ven allí, son birchos —nos dice—. Esta plantita, machacada, se la unta uno en los ojos y sirve para quitar lagañas. Se llama San Gregado —¿o sangre de gado?, ¿o sangregado?

Nadie le cree una palabra.

Espinoza nos hace detenernos varias veces, porque camina más despacio que nosotros debido a la enterocolitis.

Malagón, que es ateo, se niega a entrar en la iglesia. Mientras nosotros estudiamos los ex votos, él nos espera en el atrio tomando cerveza sentado en la pata de un pirul. Tiene un altercado con una beata que le dice «borracho sacrílego».

En vez de comer lo que llevamos en el morral, que regresa intacto, comemos sopes y tomamos mezcal de la sierra en una tienda que se llama «El nomeolvides». La dueña asegura que conoció a mi padre, que iba, según ella, con frecuencia al Reventón.

—A pesar de ser catrín —me dice— no era altanero.

Sebastián Montaña me informa más tarde que la dueña de «El nomeolvides» se llama Juana Baladro, es parienta de las madrotas que están siendo juzgadas en Pedrones y en una época ejerció la prostitución.

Nadie me sabe decir qué negocios pudo tener mi padre por estos rumbos.

En el camino de regreso veo una pareja que salió de día de campo y camina por una vereda paralela a la cañada por la que nosotros vamos. Van sin prisa. Ella ha pasado el brazo sobre los hombros de él, él ha puesto el suyo alrededor de la cintura de ella. Una nopalera se interpone y los pierdo de vista. Casi podría jurar que son Gloria y Angarilla.

Geografía histórica

LA TROJE DE LA REQUINTA: En este lugar ocurrió el primer acto notable hecho por un Aldebarán en Cuévano. Don Pedro Aldebarán, mi tatarabuelo, fue de los que se refugiaron en la troje de la Requinta cuando llegaron los insurgentes. Al saber que el cura Hidalgo se acercaba a Cuévano con una hueste de muertos de hambre, los ricos de Cuévano decidieron fortificar la troje, que era el edificio más sólido, y refugiarse en ella.

El encargado de dirigir las obras fue Pablito Berreteaga, sobrino del Intendente, que tenía fama de haber leído los nueve libros del Marqués de Santa Cruz, el experto en fortalezas. De acuerdo con las recomendaciones de este autor, Pablito mandó construir un sistema de fosos, parapetos y troneras, que no sirvieron más que para enfurecer a los atacantes, que en poco rato entraron en la troje y acabaron con los que estaban dentro, preparados para resistir un sitio de meses —dicen que tenían hasta criadas que echaran las tortillas e hicieran las camas—.

La esposa de don Pedro, el fusilado, doña Pepa, se negó a acompañar a su marido, por sentirse mexicana y a salvo —él había nacido en España—, y vivió muchos años, volvió a casarse y formó una segunda familia.

La otra rama de mi familia, la de los Tarragona, también participó en la toma de Cuévano. El capitán Aldama, que era Tarragona por parte de madre, estuvo al mando de la caballería insurgente y cuando cayó la plaza no pudo —unos dicen que no intentó— contener a la turba ni evitar la matanza que hubo en la Requinta.

LA CASA DE LOS COPETES (hoy local de la Flor de Cuévano): esta casa fue construida por don Francisco Canaleja, el último español de la familia. Don Pancho salió de Santander muy joven, naufragó tres veces y llegó a Veracruz con lo puesto. De allí viajó a Cuévano y consiguió su primer empleo en una tienda de ultramarinos —de dependiente—. Dormía envuelto en una cobija sobre el mostrador de metal. De tanto no pagar alquiler de casa juntó dinero y abrió tienda propia en un mineral. Siguió durmiendo sobre el mostrador, se hizo socio de gambusinos y acabó explotándolos, porque a la vuelta de varios años era el dueño del capital más fuerte de Cuévano y su nombre aparecía al calce de las acciones de cualquier mina. En México y los Estados Unidos viajaba en carro especial y cuando iba a Europa, alquilaba el camarote más caro del barco. Casó con la heredera de varias haciendas de las mejores del Plan de Abajo, y entre los dos formaron un capital que es notable, más que por lo grande que fue, por haber desaparecido sin dejar rastro. Al enviudar hizo en versos el elogio de la difunta y los grabó con voz espectral en un cilindro de fonógrafo. Se casó por segunda vez a las tres semanas.

JARDÍN DEL TRESILLO Y CERRO DEL MECO: Desde el jardín del Tresillo puede verse una cruz en la punta del cerro del Meco. Esa cruz marca el lugar donde tuvieron un duelo a pistoletazos dos jóvenes cuevanenses por el amor de una de mis bisabuelas. Cuando todavía estaban contando los pasos uno de los duelistas se dio la vuelta y disparó sobre la espalda del otro. Con esto acabó el triángulo, porque uno de los enamorados murió, el otro huyó avergonzado y mi bisabuela casó con un tercer pretendiente, menos joven pero más rico que los otros dos.

CALLE DEL TRIUNFO DE BUSTOS: Esta calle se llama así en recordación de la batalla de Bustos. En la casa de Las Forjas, que está en esta calle, se pusieron las mesas donde se iba a servir el banquete que los notables cuevanenses iban a ofrecerle a mi bisabuelo, el general Tarragona, para celebrar su victoria sobre el ejército conservador en lo que se llamó después la batalla de Bustos. Desgraciadamente el encuentro lo ganaron los conservadores, mi bisabuelo tuvo que abandonar la plaza con los restos de la brigada del Plan de Abajo y el banquete que habían preparado los notables fue consumido por éstos en el agasajo que le dieron al vencedor, que fue el general Miramón.

Desde 1936, la calle no se llama del Triunfo de Bustos, sino, oficialmente, Carrillo Puerto, pero todo el mundo le dice calle del Triunfo de Bustos, hasta la fecha.

CASA DEL DERRUMBE (queda frente al hotel Padilla): En esta casa pereció don Heliodoro López y Bárcenas y dos peones que había contratado cuando trataba de abrir un boquete en una pared en donde se suponía que había un tesoro escondido desde tiempos de las guerras de Reforma. Don Heliodoro, que era tío mío, pasó la vida buscando tesoros, y cuando ocurrió el accidente fatal estaba usando un cohetón demasiado poderoso y una cañuela demasiado corta.

6. LA CASA DE LOS INVENTOS

Sebastián Montaña estaba furioso. Mandó llamar a Ricardo Pórtico y a mí para decirnos:

—Villalpando está empeñado en comprar la casa de las Begonia con todo lo que tiene adentro, convertirla en museo y presentar a la Chuchuca como el Edison mexicano.

Lo que más le molestaba era que parte del dinero con que iba a montarse el museo tenía que darlo la Universidad. La Chuchuca, i.e., Leonardo Begonia, que en paz descanse, es considerado aquí como el más grande de todos los sabios que ha habido en Cuévano. Malagón, conviene advertir, no coincide en esta opinión, y menciona el nombre de este prócer solamente en el capítulo «Excéntricos cuevanenses» de su *Opúsculo.*

Sebastián nos encargó a Ricardo y a mí una misión delicada: se trataba de ir a casa de las Begonia, entrar en la biblioteca y ver qué libros había interesantes, para calcular, grosso modo, cuánto podría valer el conjunto, *sin que las dueñas de la casa se dieran cuenta de que lo que estábamos haciendo era un principio de avalúo.* ¿Por qué tanto misterio? Escrúpulos cuevanenses: Sebastián no quería que las Begonia supieran que él quería saber... para que no fueran a pensar que él estaba pensando que... lo que en rigor no era exacto, puesto que él estaba convencido de que ellas eran incapaces de pedir un centavo más de lo justo... aunque también se daba cuenta de que, a los ojos de dos analfabetas, los libros que con tanto interés había leído el hermano difunto tenían un valor emocional muy elevado, que nada tenía que ver con la realidad.

—¿Cómo entrar en la biblioteca de las Begonia —dijo Ricardo Pórtico cuando salimos de la rectoría—, si no las conocemos más que de buenos días, buenas tardes y qué razón me da usted de su mamacita?

Estuvimos dando vueltas en los corredores del Anexo.

—El pretexto puede ser que buscamos un libro raro —digo yo.

—Como la *Verdadera historia de México* de Berrihondo, de la que no hay en Cuévano, según dicen, más ejemplar que el que tenía la Cuchuca —dice él.

—Necesitamos consultarla porque estamos escribiendo algo sobre alguien —digo yo.

—Tú estás escribiendo una monografía sobre tu bisabuelo, el general Tarragona —dice él.

—Y Berrihondo tiene una descripción de la batalla de Cerro Gordo como no hay otra —digo yo.

Gloria, de minifalda roja, subiendo las escaleras, nos interrumpe. Nos quedamos parados en el último escalón, mirándola acercarse. Sube con una ligereza que no es de cardiaca y llega junto a nosotros sonriendo, sin fatiga.

—Tú eres parienta de las Begonia —le dice Ricardo.

—Sobrina, ¿por qué?

—Eres la persona que necesitamos.

Paseamos por los corredores con Gloria entre ambos. Ella lleva los libros apoyados contra el pecho. Se ha puesto un perfume inquietante. Ricardo le cuenta la historia de que yo tengo que consultar a fuerzas la *Verdadera*, de Berrihondo, ella le cree y el resultado es de lo más satisfactorio. Quedamos en que yo iré a la biblioteca de las Begonia con Gloria, y Ricardo Pórtico, que no tiene interés en la biblioteca, ni en las Begonia, ni en Gloria, se quedará en su casa inventando otro solitario.

Yo había quedado de pasar por Gloria a las cinco y media, pero a las cuatro estuve listo, después de hacer buches de Listerine, ponerme la camisa azul Francia, y la chamarra beige que tenía una diminuta mancha de sopa. No podía sentarme ni quedarme quieto. Durante hora y veinte minutos miré alternativamente la ventana de Gloria, tras de cuyos visillos no había señales de vida, la falda del Cimarrón y a mí mismo reflejado en el espejo. A las cinco y veinticinco iba bajando las escaleras del hotel.

Crucé el jardín por la vereda más llena de recovecos, la que va entre los geranios, caminando despacio, porque no quería llegar antes de tiempo y parecer precipitado. El reloj de Nuestra Señora de Cuévano dio la media cuando agarré por la brida el león de bronce que hay en la puerta de la casa de los Revirado.

Abrió la puerta la criada —Eleudora— y no me dejó pasar. Cuando supo a quién buscaba y a qué venía volvió a cerrar y fue al interior de la casa a hacer una consulta. «¡Niña!», la oí gritar.

Regresó al poco rato y me hizo pasar a la sala. No era la primera vez que entraba yo en casa de los Revirado, pero ya se me había olvidado lo fea que era.

La sala era amplia, oscura y forrada de verde olivo, olía a cuarto cerrado y de la pared, como adorno principal, colgaba el retrato de un hombre que ha de haber sido el padre del doctor Revirado. Era una fotografía amplificada, sobre la que se había pintado al óleo, con mucha minuciosidad, cada uno de los cuadritos de un traje de *tweed*. Estaba yo estudiando esta obra de arte cuando entró Gloria.

En la penumbra, rodeada de adefesios, se veía más bella que nunca. Llevaba todavía la falda roja. Yo, en cambio, me había cambiado hasta de calcetines.

Salimos a la calle y fuimos caminando cuesta abajo los doscientos metros que nos separaban de la casa de las Begonia. El cielo era azul pálido, cantaban los pájaros, no se movía una hoja.

Gloria me explicó: las Begonia, a quienes todo Cuévano conocía y entre las que nadie podía distinguir, eran dos. Leonila y Bertila. Las dos eran sordas como tapia, sabían hacer dulce de almendra, ninguna se había casado y las dos habían dedicado gran parte de los setenta y tantos años que tenían a cuidar primero del hermano sabio, y después a desempolvar sus inventos. El aspecto físico de las hermanas era tan similar como sus respectivas historias; sin embargo, me dijo Gloria, ella, que las había tratado, sabía que eran muy diferentes. Leonila (o Bertila) es la dominante, y Bertila (o Leonila), la sumisa. Leonila (o Bertila), la dominante, es la que cobra la pensión cada mes, y la que guarda el dinero, en monedas de un peso y de veinte centavos, en una bolsa de cuero negra, de la que nunca se separa. Es también la que hace cuentas en un libro diario. Bertila (o Leonila), la sumisa, es la que va todas las mañanas con la criada, que también es sorda, al mercado. Ah, también hay otra manera de distinguirlas: Leonila (o Bertila), la dominante, es la que tiene en la oreja un aparato para la sordera, que no funciona. Bertila (o Leonila), la sumisa, no tiene aparato.

Habíamos llegado frente a la reja de las Begonia. Gloria golpeó con el pie —de una manera muy poco femenina— la lámina de la puerta, y me explicó que la casa es imitación de otra que hay (o había) en Deauville (o

Trouville). Está rodeada de un jardín hirsuto, con matorrales, y de una verja enmohecida.

Un perrito furioso salió a recibirnos. Gloria sacó una pastilla de ecuanil de la bolsa de su camisa y trató de dársela a comer, sin lograrlo. Mientras el perrito ladraba yo sentí un impulso de hacer una confesión.

—¡Gloria, te he mentido!

Le conté la verdad: no era cierto que yo necesitaba consultar ningún libro, estaba allí con un encargo del rector, de hacer un avalúo sin que las Begonia se dieran cuenta, etcétera. Ella, que seguía inclinada, ofreciendo el ecuanil al perro, se enderezó y me miró con curiosidad.

—Es usted muy sincero —me dijo.

Estábamos tan cerca que volví a oler su perfume.

—Dime de tú —le pedí.

Ella volvió a golpear la puerta con el pie.

En ese momento salieron las Begonia a la veranda. No habían oído los golpes, ni los ladridos del perro. Salieron de pura casualidad, a admirar la tarde. Cuando nos vieron —eran sordas, pero tenían vista de lince— Leonila (o Bertila), la dominante —llevaba la bolsa de cuero negro en la mano—, fue a nuestro encuentro, mientras la otra, Bertila (o Leonila) entró en la casa dando gritos.

Antes de llegar a la reja, la dominante le dio un puntapié al perro y le dijo:

—Quietecito, Chouchou.

Se disculpó de hacernos esperar —«¡Estoy rodeada de sordas!», dijo, con voz casi inaudible—. Hubo necesidad de esperar a que la sumisa y la criada trajeran la llave del candado. Gloria hizo las presentaciones y echó con mucho aplomo la mentira de la monografía que tenía yo que hacer del general Tarragona.

—Es para nosotros un honor recibir en esta casa al bisnieto de un cuevanense ilustre —dijo la dominante, como si yo acabara de entrar en un castillo.

Me dio a entender que, sin contar a la criada, que estaba cerrando el candado, los que estábamos allí reunidos éramos de la misma categoría: yo, descendiente de un héroe, ellas tres, parientas de un sabio.

Las Begonia eran delgadas, de chongo entrecano, con dientes adelantados, tan largos que para cubrirlos tenían que fruncir la boca. Vestían de negro y llevaban sobre los hombros chales gris perla.

Quisieron enseñarme los inventos de la Chuchuca antes de llevarme a la biblioteca. Pasamos por el comedor, donde había un platón con dulce de leche y soletas, y por un pasillo de cuya pared colgaba una batea de Puruándiro. Al final del pasillo estaba el cuarto de los inventos.

—Este aparato que vemos aquí —dijo la dominante, en un susurro— es el opticulario…

—Tiene tres juegos de lentes y un agujero para meter la cabeza —dijo la sumisa, un poco más quedo.

—Es, de todos los instrumentos que inventó mi hermano, el más complicado.

—En los veinticinco años transcurridos desde su muerte, no ha sido posible descubrir su verdadera aplicación.

—A pesar de haber sido examinado por sabios que vinieron a Cuévano, ex profeso, desde el observatorio de Tacubaya.

Mientras las Begonia hablaban yo miraba a Gloria y la veía observar a sus tías con una mezcla de fascinación y de piedad. Nuestras miradas se cruzaron y ella me sonrió. ¡Éramos cómplices! Fue uno de los momentos más agradables de todos los que había yo pasado en Cuévano.

Después del opticulario, la hermana dominante nos mostró un aparato muy extraño, le dio vuelta a una manija y dijo:

—Este es el fonostato, que permite grabar los sonidos en un cono de cera y después los reproduce casi idénticos.

Una voz espectral salió del aparato y dijo, cantando, «azul, como una ojera de mujer…».

La sumisa nos mostró el funcionamiento del magnetófono. Nos dio un auricular a cada uno, ella tomó la bocina y dijo:

—Bueno, ¿con quién hablo?

El grafógrafo constaba de dos plataformas, en cada una de las cuales había un papel y una pluma: una de ellas conectada a un resorte metálico, la otra, a una armazón de varillas. Gloria tomó la pluma del resorte y escribió algo en la hoja de papel. Simultáneamente, las varillas de la armazón empezaron a moverse, la segunda pluma se deslizó sobre el papel, en la que se fue formando lentamente una palabra:

«Corazón».

Me estremecí. La primera palabra que se le venía a Gloria a la mente era «corazón», su enfermedad. La miré. Ella seguía escribiendo sin que su rostro reflejara ninguna emoción.

«Corazón, diario de un niño».

Las palabras que ella había escrito con la letra firme que yo conocía de sus trabajos escolares, habían aparecido en la segunda hoja deformadas, temblorosas, como escritas por una segunda Gloria, más triste, condenada a morir en el primer instante de placer.

Gloria dejó la pluma levantó la cabeza y me miró con sus ojos limpios, de una manera que un momento antes me hubiera hecho dar un respingo de gusto. Pero las sombras que había en el cuarto de los inventos no se debían solamente a que estaba atardeciendo y que las hermanas Begonia no querían encender la luz eléctrica.

—Además de estos aparatos —dijo la dominante—, mi hermano, que en paz descanse, inventó varios juegos de salón.

—Un nuevo tablero para jugar a la oca —dijo la sumisa.

—Y un sistema de contabilidad aplicable al juego de la carambola.

—Si Leonardo no es más famoso…

—Es nomás porque nació cuevanense…

—Un americano de las mismas aptitudes, hubiera muerto millonario.

—Y alguien hubiera hecho de su vida una película a colores.

Entramos en la biblioteca. Lo primero que vi fue los tres tomos de la *Verdadera historia de México* de Berrihondo, pero me hice pendejo y pasé un rato largo fingiendo que la buscaba.

Gloria se portó admirablemente. Con pretexto se llevó a sus tías a otra parte y yo pude hacer con toda calma una lista de los libros que me parecían más valiosos. Fue muy corta. La mayoría de los libros de la Chuchuca eran científicos y heredados, y resultaban casi curiosidades. Los más interesantes no los incluí en la lista, como las *Confesiones del Barón Freihauff*, que me hubiera querido robar para dárselo a Malagón, o la *Denuncia del onanismo*, del padre Barrutia, o un manual con cien modelos de cartas de amor, garantizados, decía la primera página, en provocar novedosas pasiones.

Cuando estaba terminando, Gloria entró en la biblioteca, fue a donde estaba la *Verdadera*, buscó el tomo que trataba de las guerras de Reforma, lo puso sobre la mesa y lo abrió en el índice. Yo me acerqué a ella y volví a oler su perfume.

Ella estaba buscando el nombre de mi bisabuelo. «Tarragona, Indalecio, Gral de Brig».

—Página cuarenta y dos —dijo Gloria—, entra a saco en Cornalejo…

Envuelto en la fragancia de Gloria, yo alcancé a leer, mirando sobre su hombro: «prende fuego a la iglesia de Zapalantongo, es acusado de llevarse ochocientas arrobas de grano, el regimiento a su mando se distingue en la batalla del Tejocote…». Tuve una erección y se lo hice saber a Gloria, apoyándome contra la minifalda roja y sintiendo, a través de ésta, la carne firme de su nalga. Ella se irguió, y sin moverse, me dijo:

—No siga. Que yo soy una mujer muy apasionada.

Al hablar, me hizo volver a la realidad. Mejor dicho, me dejó helado. ¡Estaba yo yendo demasiado lejos, estaba a punto de cometer un asesinato! Entonces, afortunadamente, ella se hizo a un lado, y yo me quedé allí solo, a un metro de la mesa, palpitando.

Cuando salimos de la casa de las Begonia era de noche. Yo tomé a Gloria del brazo, para ayudarla a caminar sobre el empedrado. El contacto con su piel fresca me trajo a la memoria la palabra «corazón» apareciendo espectralmente en el papel del grafógrafo. ¡Qué raras emociones, pensé, mientras más me gusta esta mujer, más triste me pongo!

Me despedí de ella en la entrada de su casa. Le di las gracias.

—No me dé las gracias —me dijo sonriendo—. Pasé un rato muy agradable.

No la besé, pero creo que hubiera podido hacerlo.

Al caminar hacia el Padilla pensando en todo aquel enredo, llegué a la conclusión de que, evidentemente, Gloria no estaba enterada, ni de la gravedad de su mal, ni del peligro que corría.

DEL CATÁLOGO DE IDEAS FIJAS CUEVANENSES

A

ALICANTE: serpiente de dos metros de largo que tiene la peculiaridad de poder imitar el silbido que los hombres que están trabajando en el campo dan para llamar a sus mujeres que andan buscándolos con la canasta de las tortillas. La mujer, engañada, acude y el alicante se le mete entre las piernas. Cuando las madres que están en época de lactación se quedan dormidas a la sombra de un zapote, el alicante se les mete entre la ropa y mama de su pecho.

ARTISTAS: se mueren de hambre, no se cortan las uñas y se comunican entre sí diciéndose rimas de Bécquer.

C

CEJAS: las de los hombres son espejo de la sexualidad. Las pobladas son indicio de un miembro viril muy desarrollado, las que se unen en el caballete reflejan un temperamento apasionado e insaciable, las que al llegar a la sien se dividen en varias hileras de pelos son en cambio signo de un carácter voluble y propenso a la depravación. Las cejas de las mujeres no son indicio de nada.

CORAJE: mal que se caracteriza por punzadas en el costado derecho, náusea constante y vómito amarillento; es una de las causas más frecuentes de muerte en el Estado del Plan de Abajo; para provocarlo se recomienda llegar a pedir prestado o regresar a la casa paterna después de muchos años de extrañamiento y exigir la herencia.

CORREA, TEÓFILO, LICENCIADO: el único cuevanense del que se sabe a ciencia cierta que está en el infierno, por haberlo declarado él mismo así durante su propio velorio: el cadáver se incorporó tres veces durante la noche en el féretro donde estaba tendido y dijo, a las dos de la mañana: «estoy siendo juzgado», a las tres, «estoy esperando sentencia», y a las cuatro «he sido condenado», ante la vergüenza de toda la familia.

CH

CHINO: primera acepción: todo lo incomprensible está escrito en chino. Segunda: el que es dueño de restaurante, persigue a las meseras cuando cierra, come ratas y es fácil de engañar (de allí la frase «te engañaron como a un chino»).

CHIRIMOYA: comer chirimoya después de hacer un coraje causa la muerte.

CHISTOSO: el que ha perdido la razón.
CHURRO: los de Cuévano son los mejores del mundo.

H

HIMNO NACIONAL: el mexicano es el mejor del mundo, después de La Marsellesa, con la ventaja sobre ésta, de ser más marcial. Se dice «mexicanos al grito de guerra», no «de gue-errá», como pretenden algunos afeminados.

I

INDIO: es mañoso y no le gusta trabajar. Es la causa fundamental de nuestro subdesarrollo.

J

JOTO: el que en las noches se pinta los labios, se pone rizadores en el pelo y duerme en camisón transparente.

N

NEGRO: los negros son iguales a nosotros ante los ojos de Dios, tienen el sexo extraordinariamente desarrollado, sus ojos y sus dientes brillan en la oscuridad, despiden un olor inconfundible, parecido al del histafiate.

S

SERENO: el aire nocturno que tiene virtud curativa (o nociva, como se verá después). Todo cocimiento para el reumatismo o los males del hígado, después de hervirse, se serena, es decir, se deja en un recipiente destapado toda la noche al aire libre; lo mismo ha de hacerse con las dos cervezas que debe tomarse por la mañana en ayunas el atacado de chancro blando. De lo anterior se deriva la frase «le faltó sereno» aplicada a todo remedio ineficaz. La acción del sereno en las mujeres suele ser maligna y resultar en parálisis o hemiplejia. Salir al sereno sin enfriarse los ojos produce ceguera total. Segunda acepción: el velador. (De aquí que deba decirse «me agarró el sereno» refiriéndose a la primera acepción y nunca «me cogió el sereno») .

SOLDADO MEXICANO: es el mejor del mundo porque aguanta sin comer más que ningún otro. Está bien decir: «otros ejércitos han ganado batallas pero ninguno ha pasado hambres como el nuestro».

V

VOLTAIRE: filósofo ateo que murió diciendo «¡quiero más luz!» y metiendo la mano en la bacinica.

7. SARITA BAJA POR CAMPOMANES

Sarita baja por Campomanes con una botella de petróleo diáfano en la mano. La alcanzo y le digo:

—¿Quiere que le cargue el petróleo?

Ella, que no me ha visto, se sobresalta, se ruboriza, se turba, se retuerce y hasta después me mira.

—¡Ay, pero qué susto me ha dado! —me dice—. Creí que sería uno de esos tipos que se le acercan a una y le dicen cosas.

Ahora soy yo quien se siente turbado. Tomo la botella de petróleo y la acompaño a su casa por el pasaje donde venden los churros. Ella me dice que Cuévano está lleno de groseros y degenerados. Hay partes de la ciudad en las que las mujeres sencillamente no pueden caminar sin arriesgarse a que les hagan alguna malcriadez —como la esquina del Ventarrón, por ejemplo—.

—El otro día iba yo bajando muy tranquila por la calle

de Zacateros, cuando uno que va pasando, se me acerca y me dice «buenos días», y al mismo tiempo, ¡que me baja el cierre! ¿Usted cree que eso es justo?

Nunca la había oído decir tantas palabras de un tirón. La escucho atentamente, sin interrumpirla más que para decir, ¡qué barbaridad!, o ¡no me diga! Trato, con mucha discreción de verle el paladar —no sé por qué me da la impresión de que lo tiene negro—, pero no alcanzo a ver más que sus dientes poderosísimos.

Cuando llegamos a la puerta de su casa, le entrego su botella de petróleo. Ella no me invita a entrar, pero me sonríe muy amable antes de cerrar la puerta.

¿Para qué querrá el petróleo?

8. LA NOCHE BLANCA

Una noche fuimos a cenar en el café de don Leandro. La comida de allí no tiene pierde. Nomás hay dos platillos y los cocinan siempre igual.

Las sorpresas están a cargo del dueño. Don Leandro es el único comerciante de Cuévano que tiene respeto por las cosas del espíritu —es decir, por los que estamos allí sentados—. Aquella noche mandó a nuestra mesa cubas libres por cuenta de la casa y después fue a sentarse con nosotros. Nos platicó que a pesar de no haber terminado la primaria es admirador de todo lo cultural. Cuando se fue el último cliente, don Leandro echó las trancas y puso en el tocadiscos una sinfonía de Beethoven —Malagón jura que en una noche de invierno que pasó en el café de don Leandro alcanzó a oír las nueve ídem.

Don Leandro dijo que quería decorar el changarro. Lo demás ocurrió con rapidez vertiginosa. Sebastián dijo que era la ocasión ideal para revivir el muralismo mexicano, Espinoza expuso una teoría según la cual, cualquiera que esté en las condiciones anímicas propicias, puede resultar gran pintor, aunque nunca haya cogido una brocha, y Carlitos Mendieta dijo, que, a pesar de esta teoría respetable él estaba dispuesto a asesorar a quien se lo pidiera. El caso es que para la medianoche ya estábamos comprometidos a pintar un mural cada uno.

Nos sorteamos las paredes. A Malagón y a mí nos tocó la que está entrando en el café, a mano derecha, donde están los medidores de la luz y la puerta condenada.

Las obras se iniciaron un martes. El café de don Leandro no se abrió esa tarde al público. Sebastián Montaña fue el primero en llegar. Para pintar se puso, encima de su traje, un impermeable y una boina vasca. Empezó por cuadricular la pared con un carbón, después sacó de la bolsa un papel milimétrico en donde había un diagrama del mural que iba a pintar: el Triunfo de la Ciencia.

Los medidores de la luz y la puerta condenada eran un problema. Malagón y yo consultamos con Carlitos Mendieta, quien nos aconsejó hacer una composición en *trompe l'oeil*, que integrara los medidores, los cables que salían de ellos, la puerta y la pintura verde que estaba en la parte inferior del muro.

Ricardo Pórtico llegó a las seis de la tarde, con Justine muy arreglada y un mozo de la Universidad que llevaba un bote de pintura blanca y la brocha. Ricardo y Justine se sentaron en unas sillas mientras el mozo pintaba de blanco el muro; cuando la operación estuvo terminada, Ricardo se quitó el saco y la corbata, y con un pedazo de carbón trazó, con seguridad notable, los contornos de una manzana, un vaso y una botella. Hecho esto, se puso la corbata y el saco y se fue con Justine al cine. No volvió a tocar el mural, que hasta la fecha sigue inconcluso.

Espinoza llegó con Sarita y ella cargando la maleta

que habían cerrado con trabajos en el *pullman*, el día que los conocí. La pusieron sobre una mesa, la abrieron y de ella fueron sacando una bata de franela, que se puso él, otra de maternidad, que se puso ella, una gorra de plástico de las que usan las mujeres en la regadera, que se puso él, anteojos de celuloide, que se pusieron los dos y una variedad de instrumentos aspesores, desde una pistola de agua hasta una bomba para fungicidas.

Espinoza subió en una mesa y empezó a echar chorros de colores —«action painting», explicó—. De vez en cuando decía, «pásame el verde —o el morado, o el rojo—» y su mujer le entregaba el aparato relleno de ese color. Ella se encargaba de disolver los colores y de llenar las bombas.

Durante un rato suspendimos el trabajo en los otros murales para observar a Sarita, que salió del tocador de señoras, donde se había cambiado de ropa, envuelta en una bata de maternidad. Los movimientos de su cuerpo, oculto por aquella ropa demasiado amplia, eran extrañamente sensuales.

—¿Tú crees —me preguntó Malagón en un susurro— que esta mujer haya recorrido toda la gama de la experiencia sexual con el zoquete de su marido?

Después de este comentario nos dedicamos a la creación. Los medidores de la luz eléctrica se convirtieron en los pechos de la Eva Mecánica —título de nuestro mural— que aparecía a la derecha de la composición, recostada sobre un verde prado —la pintura que ya estaba sobre el muro, a la que agregamos unas florecitas— y cubierta con hilos de perlas —que tuvimos que agregar a fuerzas, porque don Leandro consideró que los pechos de fuera, aunque fueran dos medidores, eran desnudez suficiente—; la puerta condenada se convirtió en un torreón, entre cuyas almenas asomaba una misteriosa figura de negro que aparentemente dirigía los movimientos de la Eva Mecánica por medio de dos alambres —los cables de la luz—. Por último, para justificar un cable vertical que estaba en la parte izquierda del muro, Malagón pintó en el extremo inferior, la figura de un ahorcado, y en el superior, la rama de un flamboyán —el toque de color. La parte superior del muro la pintamos azul claro: era el cielo.

Malagón pintó la mitad izquierda de la obra, yo la derecha. Con el último brochazo al cielo, di mi trabajo por terminado, fui a la barra y me serví una copa. Me di cuenta entonces de que en el café reinaba una extraña tensión. No se oía más que el ruido del aspersor de fungicidas y la Séptima de Beethoven. Sebastián Montaña, Carlitos Mendieta y don Leandro, que no hablaban desde hacía mucho rato, estaban leyendo el periódico con mucha atención. ¿Leyendo el periódico? ¿Leyendo *El Sol de Abajo* con atención durante una hora?

En ese momento noté que la mirada de Sebastián Montaña pasaba rozando el borde de la hoja e iba dirigida al otro extremo de la habitación, donde estaba Sarita.

—El rojo —pidió Espinoza.

Sarita se inclinó a recoger la bomba que le pedían, que estaba en el piso. La bata era amplia, pero corta. Al inclinarse Sarita quedó a descubierto que debajo de la bata no había ropa, no había nada más que Sarita.

Por un instante me quedé mirando con incredulidad aquellas dos nalguitas bronceadas. Después, Sarita se enderezó, yo tomé la sección de deportes y me senté a leer con los otros tres el periódico.

Mientras tanto, Malagón había encallado. Se había empeñado en darle un significado al mural. El hombre de negro —había dicho al principio— es la historia, que da la espalda a los acontecimientos —el ahorcado— y se entretiene jugando con la imaginación —la Eva Mecánica—. Más tarde consideró que el significado era exacto, pero muy aburrido y decidió ponerles al ahorcado y al hombre de negro caras de cuevanenses ilustres. Monseñor Carrajudo, el Gordo Villalpando, Pascualito Requena, el padre Hildebrando, el agiotista Madroño, el Pelón Padilla y el doctor Revirado fueron, unos ahorcados, otros hombres de negro y otros ambas cosas, sin que el resultado dejara satisfecho al pintor.

—Dibújame al agiotista Madroño —decía Malagón a Carlitos Mendieta.

Carlitos dejaba *El Sol de Abajo*, tomaba un lápiz y hacía en una hojita y con gran facilidad —había hecho cientos de caricaturas de cada cuevanense-—, lo que el otro le pidiera y volvía a tomar el periódico.

Malagón regresaba al muro y batallaba con los pinceles hasta que volvía a cambiar de opinión. En esas estaba cuando Espinoza escribió con mucha solemnidad «Espinoza», en el ángulo inferior derecho del muro. Sarita entró en el tocador a cambiarse y la atmósfera se transformó de manera tan sensible que don Leandro quitó el tocadiscos cuando un movimiento estaba a medias, fue al armario y sacó dos botellas de cognac francés, nosotros dejamos a un lado *El Sol de Abajo* y empezamos a hablar como para compensar todo lo que habíamos callado.

—¡Lástima de que no terminaste tu mural de la Ciencia! ¡Tengo tanta curiosidad de saber cómo triunfa!

—Otro día será, que tenga más reposado el espíritu.

—Píntale al ahorcado la cara del Presidente de la República.

—¿Cuál mural le gusta más, don Leandro?

—Todos quedaron muy bonitos.

Sarita salió del baño con su vestido ala de mosca y Sebastián Montaña se apresuró a acercarle una silla. Nos sentamos alrededor de una mesa a beber, comer papas fritas y ver trabajar a Malagón.

Sarita tenía sed, y como nos empeñamos en atenderla, bebió una cantidad considerable de cubas libres. Habló poco. Daba la impresión —seguramente falsa— de que no quería perder palabra de lo que decía su marido, que estaba hablando sobre Winkelmann. Cuando alguien se dirigía a ella, contestaba con su voz de borracha, estropajosa e ininteligible, nos dejaba perplejos y Espinoza tenía que interpretar.

—Dice que los ojos de la Eva Mecánica se ven como moraditos.

A las cuatro, Sarita puso la cabeza sobre la mesa y no hubo manera de despertarla.

Carlitos Mendieta y yo fuimos a buscar un taxi; cuando regresamos en el coche, Espinoza y don Leandro nos esperaban en la puerta del café, con Sarita, dormida, entre ambos. Como Espinoza se negó rotundamente a permitir que alguien lo acompañara para ayudarlo a bajar el bulto, nos despedimos.

Sebastián Montaña había vuelto a tomar la brocha y estaba trabajando otra vez en el Triunfo de la Ciencia. Malagón, en cambio, se había dado por vencido y estaba en una silla tomando una copa, observando críticamente el mural. El ahorcado y el hombre de negro no se parecían a nadie. La Eva Mecánica, en cambio, descubrí con cierto sobresalto, se parecía vagamente a Gloria.

—¡Qué experiencia! —dijo Carlitos—. Creo que nunca me había divertido tanto.

Malagón se ofendió. Creyó que la diversión de Carlitos había consistido en verlo a él meter la pata.

—¿Pero no te diste cuenta —dijo Sebastián Montaña desde arriba de una escalera— de que la señora de Espinoza no traía calzones?

Malagón palideció.

—¿Y por qué no me avisaron, hijos de la chingada?

Todos nos reímos y Carlitos dijo:

—¡Cada vez que se agachaba, se le veían las nalgochonas!

—Las tiene bastante buenas —dijo Sebastián.

Malagón se puso de peor humor.

Guando salimos del café estaba amaneciendo. Estábamos ojerosos, cansados y teníamos mal sabor de boca, pero sentíamos —todos menos Malagón— el espíritu henchido. Nos quedamos un rato contemplando la mole oscura de la parroquia y el sol pegando en la cresta del Cimarrón. Los presos, con escobas de vara, empezaban a barrer las calles. Sebastián Montaña tuvo un altercado con un policía que trató de impedir que orináramos en el basamento de la estatua de la Libertad.

9. LA LOTERÍA

Aquella mañana, que iba a ser extraordinaria, empezó como las de todos los jueves. Di mi clase, encontré a Espinoza en los corredores del Anexo, y bajamos juntos la escalera. Acostumbrábamos pasar en la Flor de Cuévano la hora que ambos teníamos libre entre las once y las doce. Espinoza, que acababa de dar clase de presocráticos, estaba de humor negro.

Antes de llegar al portón ocurrió la primera cosa extraordinaria: Juanito Barajas salió de la secretaría, fue a mi encuentro muy sonriente y me entregó un sobre: después se alejó dando brinquitos y soltando risitas pícaras —era afeminadísimo—. Abrí el sobre. Tenía dinero adentro y un recibo. Eran los quinientos cuarenta y tres pesos con veinticuatro centavos de una «compensación» que la Universidad me debía desde hacía varios meses. Me sentí muy contento. Espinoza, que no recibía compensación, se puso de peor humor y se sintió postergado.

Cuando íbamos bajando por Campomanes se detuvo, levantó la mirada y la paseó por el cerro, los campanarios y los balcones de la familia Cadalso.

—¿No sientes a veces, Paco, que esta ciudad se te viene encima?

—Nunca jamás —yo seguía encantado, pensando en mis quinientos cuarenta y tres pesos con veinticuatro centavos.

—Eso te pasa porque tienes sólo tres meses de vivir aquí. Ya verás lo que te espera. Cuando hayas pasado tres años, como yo, tratando de desembrutecer a esta gente, pondrás un pie en la calle y sentirás que cien cuevanenses te observan y que ninguno te entiende. Si ven que te da un ataque epiléptico, creen que te estás haciendo el payaso.

Seguimos caminando, él viéndolo todo negro, yo, muy contento. Cuando estábamos cruzando el jardín de la Constitución, la mujer que vende billetes de la lotería en la esquina del teatro de la República, cruzó la calle, llegó hasta nosotros y dijo algo que cambió nuestros papeles de golpe. Le pidió a Espinoza «el barato».

Espinoza no entendía al principio. Cuando la mujer le explicó que el pedazo de billete que había comprado el lunes había sido premiado con quince mil pesos, me dio a detener el Diodoro Cículo y la *Filosofía griega* de Bonafoux para poder escarbarse las bolsas con las manos temblorosas.

—Lo perdí. Estoy seguro de que lo perdí —decía, pasando de una mano a otra los *aides-memoires* y los recibos de la luz.

Pero no. Se equivocaba. Uno de tantos papeles doblados era el billete. Espinoza lo desdobló, lo estudió un rato frunciendo el ceño, lo comparó con la lista que tenía la mujer, cotejó las fechas y el número del sorteo y cuando se convenció de que las fracciones que tenía en la mano estaban en efecto premiadas con quince mil pesos, guardó el billete en la cartera y me dijo:

—Préstame cien pesos.

Yo abrí el sobre, saqué cien pesos, se los di a Espinoza, y él se los dio a la mujer.

—Tenga, un regalito —le dijo.

Ella se fue muy agradecida, nosotros fuimos a la agencia de la Lotería Nacional, que quedaba a dos cuadras.

—¿Será falsificación, tú? —me dijo en el camino—, porque está comprobado que de cada sorteo se hacen cientos de tirajes ficticios, tan bien impresos que es casi imposible detectar cuál es el bueno.

Cuando llegamos a la agencia, el encargado no puso reparos. Hizo que Espinoza firmara un recibo y le entregó un cheque. Cuando salimos de allí, Espinoza me dijo:

—Vamos inmediatamente al banco. No me extrañaría nada llegar con el cheque y encontrarme con que la Lotería Nacional no tiene fondos. ¿Qué hago entonces? ¿A quién recurro? ¡Estoy solo contra el Gobierno!

El gerente del Banco de Cuévano lo tranquilizó. El cheque era bueno, la firma era la conocida, y en la cuenta había fondos.

—Pase usted a la ventanilla tres y allí se lo pagan.

—No, muchas gracias —dijo Espinoza, y guardó el cheque en su cartera.

Cuando salíamos del banco, me dijo:

—Nomás quería saber si era bueno. Ya sabiendo que lo es, prefiero guardarlo intacto, hasta que no sepa en qué voy a invertir.

Fuimos a la Flor de Cuévano, porque Espinoza había decidido festejar.

—¡Dos capuchinos! —pidió—. Préstame cincuenta pesos, mientras.

Abrí mi sobre y le di cincuenta pesos.

—Gracias. Después te los pago. Estos trece mil ochocientos pesos que tengo en la bolsa, bien administrados, pueden cambiar mi existencia, Paco. ¿Te das cuenta?

Había decidido emprender un negocio muy productivo o hacer una especulación, para salir del hoyo.

—A mí, chiquito, no me pasa lo que a tu antecesor. Morirse en una cena de Navidad y el señor no había hecho nada, en cuarenta años, más que dar clase. ¡Qué horror! Yo, francamente, creo que nací para algo más interesante. ¡Qué carajos!

Se interrumpió para saludar a las hermanitas Verduguí que estaban sentándose en la mesa de junto. Siguió, en voz más baja:

—¡Yo nunca había ganado un premio, Paco! ¡Te juro, en cuarenta y dos años que tengo de vida, no he ganado ni un pito en una rifa de posadas!

La mesera se acercó, dejó los capuchinos y se alejó. Espinoza me dijo en un susurro:

—Una cosa sí te pido: silencio. Ni una palabra a nadie. Ya ves lo que son los pueblos. Saben que tienes dinero y al día siguiente se te presentan veinte conocidos a pedirte prestado.

Le prometí no decirle a nadie lo de la lotería. En ese momento entró Carlitos Mendieta y fue directo a nuestra mesa.

—Felicítame, Carlitos —le dijo Espinoza—. ¿Qué crees que acaba de pasarme? ¡Me saqué la lotería!

Carlitos, que ha de haber estado como yo, muerto de envidia, fingió regocijarse con la noticia.

—¡Hombre, qué gusto, cuéntamelo todo!

Espinoza repitió la historia a las once y media, al cuarto para las doce y a las doce en punto. La oyeron las hermanas Verduguí, Sebastián Montaña que entró a tomar su segundo café exprés, Malagón, que venía de clase de guerra de Independencia, Rocafuerte, que llegó de México en el Thunderbird y entró a buscar a Gloria, que no estaba en la Flor de Cuévano, el licenciado Redoma, que entró a comprar cigarros y don Serafín Fontana, que era dueño del local e iba a cobrar la renta. A las doce, Sebastián declaró el día feriado para la Universidad y nadie fue a dar clase.

—Compre una Nikkonaka —aconsejó Rocafuerte.

Nadie sabía qué era eso.

—Es una fotocopiadora magnífica, como no hay otra en Cuévano, ni en la secretaría de Gobierno.

—¿Y para qué quiero yo eso? —preguntó Espinoza.

—Para hacer copias y venderlas. Es un magnífico negocio. Yo le garantizo que en tres años tendrá usted un millón en la mano.

Espinoza me dijo en voz baja:

—Este tipo es imbécil. ¡Qué ideas!

Rocafuerte siguió:

—Yo tengo una como nueva y se la dejo por el dinero que tiene usted en la bolsa. En cualquier lado, la consigue usted, con trabajos, en el doble.

—Lo que usted me propone —le dijo Espinoza— es que yo me pase la vida sentado en una silla, esperando a que alguien necesite una copia. Eso yo no lo hago ni loco, ni muerto, es peor que dar clases.

Malagón le propuso a Espinoza que comprara metal chueco. El inversionista pareció interesado. Malagón explicó:

—Es el negocio más sencillo del mundo. Cuando un minero encuentra una pepita buena, se la traga, la saca de la mina en la panza, al día siguiente la obra, la lava y te la lleva a tu casa. Tú lo dejas esperando en el vestíbulo y entras en tu despacho. Allí tienes tus instrumentos, que es todo lo que necesitas: crisol, mechero, aguafuerte y balanza. Calas la piedra, la pesas, haces tus cuentas, sales al vestíbulo y le pagas al minero la quinta parte de lo que vale. ¿Ya ves? Es negocio redondo.

—Pero está severamente penado por la ley —dijo el licenciado Redoma.

—No se sabe de ningún comprador de chueco que haya acabado en la cárcel —dijo Sebastián Montaña.

—Y, en cambio —dijo Malagón— se sabe de grandes capitales cuevanenses que se han hecho de esa manera.

—Sin ofender a don Serafín —advirtió Sebastián.

—Nadie me ofende —dijo don Serafín—. Todo el mundo sabe que yo he hecho mi dinero en bienes raíces.

—Hay que tener en cuenta que no todo es ganancia —dije yo—. Te cae la policía y tienes que pagar mordida.

—Es más barato que pagar impuestos —dijo Rocafuerte, el joven de porvenir.

Carlitos Mendieta intervino para contarnos una historia ejemplar:

—Había en Cuévano un señor extranjero que vivía en los altos de las Alcántara. Pues un buen día, que va entrando la criada con el plumero y que se va encontrando al señor extranjero en el piso, con la cabeza aplastada. Dicen que era comprador de chueco y que un minero de los que lo visitaban le dio con el marro un golpazo para quitarle el dinero que tenía guardado en el cajón del escritorio.

—¡Qué inocente eres! —le dijo Malagón—. Es evidente que lo que acabas de contar es un crimen de homosexuales. No tiene nada que ver con el negocio que yo estoy proponiendo.

Llegó Ricardo Pórtico y recomendó el agiotismo.

—Prestar al diez por ciento mensual, sobre garantía, a aspirantes a braceros, es la única manera de hacerse rico en Cuévano.

—¡Ay, pero qué desalmado! —dijeron las hermanitas Verduguí.

Espinoza me dijo al oído:

—Se me hace que esta ocasión bien vale una fiestecita. ¿Qué te parece?

—Hombre, muy bien.

—Nos vamos a tomar la copa al Francés, y después nos vamos a mi casa y allí comemos. Está bien, ¿verdad?

—Perfecto.

—Préstame otros doscientos pesos.

Abrí mi sobre y los iba a sacar, cuando Espinoza me interrumpió.

—No me los des a mí. Hazme un favorsote: ve a mi casa y se los das a mi mujer. Dile que prepare algo sabroso, que llegamos a las dos y media y que vamos a ser unos diez. Ya que le des el dinero y el recado, te vienes con nosotros al Francés.

Al salir de la Flor nos separamos. Ellos se fueron para la derecha, yo para la izquierda.

—No te tardes —me dijo Espinoza.

Al cruzar la calle del Triunfo de Bustos, oí de repente un bramido y de la curva salió, patinando, un cochecito. Di un brinco y desde la banqueta vi alejarse a Gloria, risueña, reflejada en el espejito. Sacó la mano para saludarme. El coche entró en otra curva y desapareció.

Gloria iba a la Flor de Cuévano a buscar a Rocafuerte y a no encontrarlo. ¿Cuál sería la causa de su retraso? ¿Un paseo por el Reventón abrazada del joven Angarilla?

La casa de los Espinoza tenía un aldabón en forma de manita elegante, con anillos. Golpeé con ella cuando el reloj de la parroquia daba la una.

10. LA CASA DE LOS DOS BALCONES

Sarita se sobresaltó al verme. Su primer impulso fue cerrar la puerta. Tuve que forcejear con ella. Cuando la puerta cedió entré en la casa y la oí decir:

—No me mire, no me mire.

Iba subiendo por la escalera del vestíbulo a la carrera. Tenía puesta la bata de maternidad que había usado la Noche Blanca y llevaba en la cabeza rizadores de pelo. La seguí.

Ella cerraba puertas y yo las abría —con bastantes trabajos, porque las cerraduras de Cuévano no pueden cerrarse bien ni abrirse con facilidad—. Recorrimos el pasillo, el recibidor, la biblioteca, el comedor, la cocina, el pasillo, la biblioteca, el recibidor, subimos al primer piso, recorrimos la recámara de los Espinoza, el baño, el cuarto de planchar, la recámara de los Espinoza, el baño, la recámara de los Espinoza, el baño... Ella siempre huyendo, yo, siguiéndola. Ninguno de los dos dijo nada. A veces ella se reía quedo y entrecortado, a veces se quitaba uno de los rizadores que tenía en el pelo y lo tiraba al piso, como si fuera un obstáculo para estorbarme el paso. Cuando por fin la tumbé en los mosaicos del baño, los dos estábamos jadeando. Ella tenía dos rizadores todavía en la cabeza.

—No. No. No. No quiero —me dijo, y abrió las piernas.

No tenía calzones, por supuesto.

Estaba acabada de bañar, olía a perfume de jabón barato. Era morena, redonda, tersa y tenía el pelambre negro, espeso y bien definido. La penetré con toda facilidad.

Me incliné para besarla y ella me pasó los brazos alrededor del cuello. Fue una lucha vigorosa, corta y llena de sorpresas, que terminó abruptamente, cuando yo estaba mirando el paladar de Sarita, que era color de rosa y no negro, como yo lo había imaginado. Quedamos un instante tendidos en el mosaico, mirándonos. Ella se incorporó, se limpió la saliva que tenía en la cara con el dorso de la mano, mirándome siempre con ojos redondos, como asustados. Se quitó los rizadores que le quedaban, se puso de pie y fue a donde estaban los kleenex. Regresó con la caja y me dio unos cuantos.

—No tengo vergüenza —me dijo.

Me puse de pie arreglándome la ropa. Saqué mi sobre y de él los doscientos pesos.

—Toma —le dije—. Este dinero lo manda tu marido. Dice que viene a las dos y media con diez invitados, que prepares algo sabroso.

No dijo nada. No cambió de expresión. Metió los doscientos pesos en la bolsa de su bata, y después, con mucha decisión, la mano en mi bragueta.

Más tarde, mientras Sarita se arreglaba, yo recorrí otra vez la casa. Espinoza tenía la tendencia a usar las sillas de percheros: en el respaldo de una de las del comedor estaba colgado el traje que se había puesto el día de la inauguración del Anexo y que probablemente —de esto hacía meses— no había vuelto a usar. Sobre los muebles había ceniceros de concha nácar, que Sarita no lavaba, nomás sacudía. Los muebles eran heredados, o comprados viejos, desiguales. En el pasillo había un piano que, a juzgar por el sonido que daba, nadie había tocado en años. Sobre las mesas y en el piano había *objets d'art* comprados en los fierreros —candeleros de bronce, una lámpara con pantalla de chaquira, etcétera— en las paredes, fotos de familia —clase media inferior del D. F.—, Espinoza, señalado con una flecha roja, en la Facultad de Leyes, entre trescientos compañeros de generación, Sarita de niña, más morena y más redonda, con ojos redondos y asustados, fotos de niños desconocidos. El recibidor tenía un balcón que daba a la calle del Triunfo de Bustos, y la biblioteca otro, que daba al callejón de las Tres Cruces. Subí con calma la escalera que antes había subido tan precipitadamente. Un ropero, lo abrí: las pantuflas de Espinoza, lo cerré. Una puerta que no recordaba haber abierto ni cerrado. La única de la casa, probablemente. La abrí. Me quedé asombrado. Había dos camas pequeñas, pelotas, muñecas, un friso de jirafas en la pared, una pequeña mesa de trabajo y una sillita pintada de azul fuerte.

—No sabía que tuvieras hijos —le dije a Sarita, que salía de su recámara con uno de sus vestidos color ala de mosca.

Eran un hombre y una mujer, me dijo, de cinco y siete años, que estaban pasando una temporada en México, con la madre de Espinoza.

Bajamos la escalera juntos. Yo, pensando en lo íntimamente que había llegado a conocerla a ella, y en las horas que había pasado hablando con su marido, antes de enterarme de que tenían hijos. ¡Qué raro se viste!, pensé, esos vestidos tornasolados, todos iguales, esos zapatos chuecos.

—Voy a decirte algo que prometí no decirte —le dije.

Le di la noticia de la lotería. Consideré que era lo justo. Después de todo, Cuévano entero lo sabía y ella era la única que estaba en tinieblas.

No me creyó. Me miró desconcertada, sin entender por qué quería yo tomarle el pelo. Ni siquiera me preguntó cuánto dinero era.

Entró en la cocina, tomó una canasta y salimos juntos a la calle. En ese momento pasaba un camión de pasaje por el Triunfo de Bustos, en una de cuyas ventanillas asomaban dos mujeres idénticas, que al reconocerme inclinaron la cabeza y sonrieron, después miraron a Sarita y las sonrisas se borraron, antes de que el camión desapareciera en la curva.

—¿Quiénes son? —preguntó Sarita.

—Las Begonia.

—¿Se darán cuenta de que somos amantes?

En vez de entrar por el pasaje donde venden los churros, dimos un rodeo por el callejón de Loreto, caminando sin prisas, en silencio, rozándonos mutuamente a veces, a veces mirándonos. Sarita saludó a una mujer que pasaba y cuando estaba lejos, preguntó:

—¿Se habrá dado cuenta de que acabamos de hacer el amor dos veces?

Llegamos a la esquina donde está el Cuerno de la Abundancia, la tienda mejor surtida de Cuévano. Allí nos separamos. Sarita se quedó en el umbral, yo seguí caminando rumbo al hotel Francés. El reloj de la parroquia dio las dos de la tarde.

Mis sentimientos eran confusos. A la satisfacción de quien intenta algo y lo consigue —el general que gana la batalla, el ladrón que logra abrir la caja fuerte—, se agregaba el descubrimiento de que Sarita, además de sensual —como yo esperaba—, era muy simpática —como no esperaba: la caja fuerte tiene más dinero del calculado—. Por otra parte, quedaba todavía un obstáculo por salvar —el ladrón tiene el dinero en el morral, pero le falta todavía llevárselo a su casa—, que era el siguiente: para los que estaban en el hotel Francés, yo había tardado una hora en hacer algo que podía haber hecho en diez minutos. Iba a ser necesario dar una explicación. Urgía inventar una historia, y pronto.

Llegué a la esquina, antes de cruzar la calle volteé y vi a Sarita. Estaba todavía en la entrada del Cuerno de la Abundancia, con la canasta en la mano, mirándome.

Sentí una vaga inquietud. ¿Será esto el principio de un enredo? Crucé la calle pidiéndole a Dios no haber despertado una pasión avasalladora.

Lo que tengo que hacer ahora, pensé, es inventar un pretexto por haberme tardado tanto. Fui a la Universidad a recoger… ¿a recoger qué, si no traigo nada?

Me acordé de un chisme que alguien me había contado. Era un pleito entre literatos, en México, en una cantina, ante indiscretos. Uno de los literatos se hincó a pedir perdón, y el otro literato, en vez de perdonarlo, le dio de bofetadas cuando lo vio hincado.

Imaginé a Malagón relatando esta misma escena, que era la que iba a ocurrir en la cantina del Francés en unos instantes, conmigo en el papel del personaje arrodillado…

—…Y entonces, Espinoza le dio de bofetadas.

Una voz espantó mis pensamientos.

—Profesor.

Era el joven Angarilla. Yo iba caminando por la acera de la calle del Turco, él me alcanzó dando pasos muy grandes en el adoquinado. Nos dimos la mano.

—Quería hacerle una consulta.

Pensé mandarlo al cuerno, pero después se me ocurrió, ésta es mi historia, y le puse atención.

Me dijo lo que yo menos esperaba:

—Ayer estuve en el café de don Leandro. Vi los murales nuevos. Son muy interesantes. Me dicen que usted fue quien pintó la Eva Mecánica. Mi pregunta es la siguiente: la figura femenina que aparece allí pintada se parece un poco a Gloria Revirado, ¿quiso usted retratarla conscientemente, o el parecido es fruto de un proceso subconsciente?

Lo tuve en mis manos y no me di cuenta sino hasta después. Al hacerme la consulta el joven Angarilla se había colocado exactamente en la posición que yo hubiera querido tenerlo el día en que me hizo la entrevista. Listo para que yo le preguntara: «¿Y usted qué es de Gloria que le interesa tanto?, ¿es usted su amante, o qué?». Pero en aquel momento, en la calle del Turco, estaba yo demasiado alborotado para meterme en esta clase de enfrentamientos. Me refugié en la superioridad que me daba la edad y los veinticinco centímetros de banqueta y le dije:

—Ni tenía yo intención consciente de retratar a la señorita Revirado, ni tengo mayor interés en la señorita Revirado, más que el que me provoca cualquier alumna aplicada. Es decir, no creo haberla retratado subconscientemente. Más bien me parece que si algún parecido hay, que yo no lo veo, no está en el mural, sino en la cabeza de usted. No me consulte a mí, consulte a un siquiatra.

Él quedó tartamudeando. Le pedí que me acompañara, porque tenía prisa. Llegando a la cantina, pensé, le digo a Rocafuerte que hay un tipo que me anda haciendo reclamaciones. Mato dos pájaros de un tiro, armo un pleito entre Rocafuerte y Angarilla y queda explicado por qué llegué tan tarde.

Hecho este razonamiento, dije:

—Tenga mucho cuidado con esto que acaba de decirme. En una ciudad como ésta, tan chica y donde hay tanta gente tan chismosa, basta con que alguien oiga decir que la Eva Mecánica es el retrato de Gloria Revirado, para que la población entera dé por hecho que lo es, y se ponga a hacer disquisiciones, bastante torpes, de por qué la pinté yo, de por qué es mecánica y de quiénes son los demás personajes que aparecen en el mural, que tampoco son retratos de nadie. Así es que, por favor, ni una palabra a nadie.

Lo dejé allí parado y entré en la cantina del hotel Francés.

No se oía nada. En la penumbra distinguí a mis compañeros que estaban de pie alrededor de una mesa. Me acerqué a ver qué pasaba. En la mesa estaban sentados, uno frente a otro, Rocafuerte y Espinoza. El primero escribiendo un recibo en una servilleta de papel, y el segundo firmando el dorso del cheque.

Cuando terminaron, el recibo y el cheque cambiaron de mano. Hubo regocijo y aplausos. Me acerqué a Ricardo Pórtico y le pregunté qué pasaba.

—Ya invirtió Espinoza —me dijo—. Acaba de comprar la Nikkonaka.

Cuando Espinoza me habló no fue para preguntarme por qué me había tardado tanto, sino para pedirme otro favorsote.

—Paga la cuenta, ¿no?

11. TARDES DE PUEBLO

La Nikkonaka llegó a Cuévano un martes, a bordo de un camión de Transportes Unidos del Plan de Abajo que tuvo dificultad en estacionarse en la calle del Triunfo de Bustos, frente a la casa de los Espinoza. Lo sé, porque Sarita y yo oímos la maniobra cuando hacíamos el amor.

El primer golpe del aldabón hizo que nos separáramos de un brinco. La segunda serie de aldabonazos empezó cuando Sarita estaba poniéndose un zapato en la mitad de la escalera, y yo la corbata. Nos vestimos tan rápido, porque ni yo pregunté «¿Qué hacemos?», ni ella me dijo «escóndete en el armario». Teníamos la mente en blanco pero estábamos siguiendo mecánicamente los pasos de un plan bien meditado.

Al repasar mentalmente las posibles catástrofes, habíamos estado de acuerdo en que si algún día éramos descubiertos, lo primero que teníamos que hacer era vestirnos. Lo demás ya se vería.

Aquella casa no facilitaba la escapatoria. Brincar de un balcón a la calle significaba romperse una pierna. Ocultarse en la azotea era aparecer entre los lavaderos y las criadas de la familia Lozano.

Habíamos decidido que en caso de ser descubiertos, lo menos ridículo y menos peligroso sería enfrentarse al marido y aguantar su venganza —que probablemente consistiría en hacer un análisis fenomenológico del adulterio—.

Si un día Espinoza nos descubre, había yo pensado, no voy a pedirle perdón. Voy a decirle:

—¿Con que no te gustó mi ensayo sobre Cabeza de Vaca?

Espinoza me había dicho que el ensayo le parecía excelente. Sarita, en cambio, me había revelado que en presencia de ella lo había calificado de «una incompetencia». Con la frase antes citada esperaba yo quitarle parte de su ventaja, nomás que para decirla necesitaba estar vestido.

Pero los aldabonazos de aquel día no los estaba dando Espinoza, como nosotros temíamos —él no usaba llave y podía haber suspendido una clase a la mitad, exasperado por la incomprensión del alumnado o atacado por la enterocolitis—, sino los que traían cargando la Nikkonaka.

Era éste un aparato verde, rectangular, del tamaño de una hielera para cervezas, con botones negros y letreros en inglés. Los cargadores la depositaron en el pasillo y allí se quedó. Allí sigue hasta la fecha. Nadie la conectó, nadie apretó nunca un botón, nadie llegó a saber dónde se ponía el papel virgen y por dónde salían las copias. Tuvo otros usos. En una época corta, Espinoza la usó para dejar sobre ella alteros de libros. Más tarde, Sarita y yo descubrimos que su tamaño y su forma eran ideales para hacer el amor encima y quitamos los libros.

Durante los meses de la primavera establecimos una rutina agradable y muy cómoda basada en las discrepancias que había entre el horario de Espinoza y el mío. Lunes, miércoles y viernes, de siete a nueve de la noche, martes y jueves, de cinco a siete de la tarde. Los sábados y los domingos yo no aparecía en escena, y Espinoza quedaba dueño único del campo.

La casa de los Espinoza llegó a ser tan familiar para mí como cualquiera de las casas en que yo había vivido. Llegué a conocer las idiosincracias de los objetos más notables: la puerta que no cierra, la mesa coja, la silla en la que hay que sentarse con cuidado porque tiene una pata que ha sido imperfectamente reparada por su dueña, la lámpara que se apaga cuando quiere, etcétera. Inspirado por Sarita, a veces arrastrado por ella, descubrí características inesperadas en varios muebles, rincones, y elementos arquitectónicos de la casa: la Nikkonaka, la sillita de los niños, el último peldaño de la escalera, etcétera.

Sarita hacía lo posible por que yo estuviera a gusto. Dio por comprar limones —que antes de conocerme nunca tenía en casa—, en un escondite de la despensa no faltaba una botella del ron que a mí me gusta y que su marido detestaba, y colgó en el baño una toalla especial para mí, que Espinoza usó un día en que no se había lavado bien las manos, dejando en ella impresas sus huellas asquerosas.

A esta hospitalidad yo correspondía con prudencia. Procuraba no dejar rastros. Durante mis visitas, por ejemplo, fumaba cigarros de la marca preferida de Espinoza, que siempre me han parecido horribles. Un día, en cambio, me descuidé y dejé olvidados ¡sobre la Nikkonaka!, los puros que me había regalado alguien que acababa de regresar de Cuba. Espinoza los encontró antes de que Sarita tuviera tiempo de esconderlos. Por un momento la catástrofe fue inminente, porque Espinoza me había visto esa tarde salir de clase con los puros en la mano. Afortunadamente le dijo a Sarita que aquellos puros eran iguales a los que etcétera, y ella tuvo la presencia de ánimo para contarle que me había encontrado por casualidad en el pasaje donde venden churros y que yo le había dicho que había notado que a su marido le gustaban aquellos puros y había decidido regalárselos, porque resultaban demasiado fuertes para mí. Espinoza creyó la historia, me dio las gracias al día siguiente y se fumó los puros.

Yo respetaba los malos hábitos de Espinoza: el de usar las sillas de perchero, que siempre me ha parecido excecrable, el de dejar las pantuflas debajo de la cama —pocas cosas hay tan desagradables como levantarse de una cama y meter los pies en las pantuflas de un extraño—, o el de dejar en cualquier parte, en los lugares más inesperados, libros boca abajo, abiertos en la página donde se había suspendido la lectura —en el piso del baño, en el sofá, a la mitad de la escalera, aparecían, boca abajo, los libros aburridísimos que Espinoza consultaba al preparar sus clases o que leía por placer—. Yo, nada tocaba. Haciendo un esfuerzo, dejaba todos estos defectos sin corregir, tal como los encontraba.

Creo que pocos maridos han sido tan respetados en el adulterio como lo fue Espinoza. Sarita fue un modelo de discreción. Nunca dijo «está paranoico», «me atormenta», o, peor tantito, «le apestan los pies», como hacen otras. Yo, por mi parte, me abstuve de comentar su pedantería y su tacañería, que eran insondables, y la mala maña que tenía de presentarse como víctima cuando había modo de conseguir ventajas —si había que cargar algo, estaba herniado, si había que pagar la cuenta, lo habían dejado sin cambio, etcétera—. Espinoza era para nosotros como «el muerto» que hay en ciertos juegos de baraja, que ni habla ni se le ve, pero que tiene mano y tendido, que los demás jugadores respetan.

Después de hacer el amor, Sarita preparaba cubas libres, y con ellas en la mano, salíamos a una azotehuela que había en el primer piso, desde donde podíamos ver el crepúsculo entre las macetas de los geranios, sin ser vistos por los vecinos, ni por la gente que pasaba por el callejón de las Tres Cruces.

Sentados en el lavadero, Sarita me contaba de su infancia en un pueblo con río, de su abuela la bruja, de una sopa de flor de yuca, y de su padre ganadero —en su casa hacían quesos—. La cronología de estos relatos alcanzaba a Sarita de colegiala, en la Ciudad de México, asistiendo a las clases que Espinoza daba en la Preparatoria Nacional. Allí se suspendía.

¡Qué bonitas tardes aquellas! Veíamos cómo el cielo azul, como raso de vestido de india, iba destiñéndose, y cómo después aparecían nubecitas coloradas. Entre el caserío alcanzábamos a distinguir, como cosas notables, un laurel de la India frondoso, que no llegamos a saber si estaba en el barrio de la Conchita o en la calle del Tragacanto, y la cúpula de una iglesia en la que, a las siete en punto, se encendía un letrero que decía: «Venid, pecadores, venid a pedir perdón».

Los martes y los jueves, se encendía el letrero y yo me despedía de Sarita para no encontrarme a Espinoza en el pasaje donde venden los churros.

Todas las tardes yo llegaba puntual y llamaba a la puerta como teníamos convenido: dar dos golpes de aldaba, contar hasta cinco y dar otros dos. Sarita tardaba unos minutos en abrir y salía a recibirme según le latía. A veces, completamente desnuda, otras, en la bata de maternidad; una vez salió con un mantón de Manila en los hombros y sin nada abajo, más que zapatos de tacón alto. Para completar la sorpresa en el momento de yo entrar, ella me metía en la boca un gajo de mandarina, una aceituna, o me daba a oler un clavel —o alguna otra flor inodora—. A veces me recibía con la casa a oscuras, a veces encendía velas y ponía música de Percy Faith —su cultura musical era muy limitada—, una noche quemó incienso y después tuvimos que ventilar la casa. Un miércoles abrió la puerta completamente vestida.

—¿Qué pasa? —le pregunté.

Cerró la puerta antes de contestarme.

—Mi marido sospecha.

Sentí que la catástrofe, tan largamente esperada, había llegado.

—Encontró el recado —dijo Sarita.

Maldita la hora, pensé, en que me dio por escribir el recado. Un recado inútil. La tarde anterior, mientras Sarita estaba en el baño, yo había descubierto que no tenía cigarros. En vez de decirle, a través de la puerta, «voy a comprar cigarros», cometí la torpeza de pensar que sería muy gracioso coger un papel y escribir —¡en francés!— lo siguiente:

Cherie:
Je vais au Corne de L'Abondance
a achetter un paquet de cigarettes.
Je reviendrais tout suit.
Je t'embrasse:
Percy Faith

Sarita quiso conservar este recado como recuerdo y al día siguiente su marido abrió el cajón donde ella guardaba las medias —nunca se supo por qué lo abrió— y lo encontró.

La explicación que Sarita había dado a este misterio era mucho más endeble que la del de los puros. El recado, le había dicho a Espinoza, lo había escrito ella misma —con una caligrafía que no era la suya—, como ejercicio de estilo: para practicar su francés, había decidido escribir en una hoja lo que iba a hacer en ese momento, salir a comprar cigarros. Lo había firmado Percy Faith porque era el primer nombre que se le había venido a la cabeza.

Esta última parte de la explicación fue la que confundió a Espinoza. No le pareció tan raro que su mujer se pusiera recados a sí misma en un idioma extraño, pero ¿Percy Faith? Espinoza nunca veía los forros de los discos. El nombrecito lo había dejado completamente desconcertado.

A mí nadie me ha dicho Percy Faith en mi vida, ¿pero habría Espinoza reconocido mi letra?

Pasamos un rato amargo, sentados en el lavadero, fumando, bebiendo, haciendo razonamientos inútiles. Después, comprendiendo que quizá aquélla iba a ser nuestra última reunión, hicimos el amor desesperadamente.

Al día siguiente, jueves, encontré a Espinoza en los corredores del Anexo y fuimos juntos a la Flor de Cuévano. Me pareció verlo más circunspecto que de costumbre. Brusco. Casi tajante. Habló de la amistad. Dijo que era parcial. Yo contesté que consideraba que la principal virtud de la amistad era precisamente la de poder ser perfecta dentro de limitaciones muy precisas: tiene uno amigos en el trabajo, amigos de cacería, amigos de la infancia... No es como el amor, le dije: insaciable, capaz de absorber la totalidad del individuo.

Él me miró fijamente a través de sus anteojos —nunca me había dado cuenta de que tenía los ojos tan chiquitos—.

—Quiero que este sábado me dediques la mañana —me dijo—. Quiero enseñarte una cosa.

Sentí que el sudor frío me corría por la espalda. Me imaginé una sesión de confesiones, arrepentimiento, abrazos, camaradería. En ese momento, entraron en la Flor de Cuévano Ricardo Pórtico y Malagón. Se habló de otras cosas y yo llegué a tener esperanzas de que Espinoza hubiera olvidado nuestra cita, pero al despedirnos él me dijo, aparte:

—El sábado nos vemos, a las diez en la entrada de los juzgados nuevos.

Sarita y yo no hicimos el amor ni jueves ni viernes. ¡En los juzgados! ¿Para qué me querría Espinoza en los juzgados?

El sábado llegué a las diez en punto a los juzgados. Espinoza estaba esperándome en la puerta. Me miró sonriente. Habló sin abrir la boca, con los dientes apretados, como acostumbraba hacerlo a veces.

—Voy a enseñarte algo que nadie conoce.

No entramos en los juzgados, dimos la vuelta al edificio, y después tomamos cuesta arriba por el callejón del Aguacate. Salimos del caserío, bordeamos el cerro del Meco hasta llegar a donde se junta con el del Huenzontle, subimos a la cumbre de éste y allí Espinoza se paró en una piedra y me dijo:

—¡Mira nada más!

A nuestros pies estaba la ciudad de Cuévano. Por un momento temí que Espinoza levantara el dedo fatal y señalara en el paisaje su casa, el patio interior, la ventana y a través de ésta su propia cama, donde Sarita y yo habíamos hecho el amor tantas veces. Pero no. Estábamos demasiado lejos. Espinoza era miope y su casa estaba oculta por las torres de la Visitación.

De allí, Espinoza me llevó a una capilla abandonada, que él creía haber descubierto, y más tarde, caminando por la ladera del Huenzontle opuesta a la que mira a Cuévano, llegamos a un terraplén antiguo en cuyo centro estaba el tiro de una mina abandonada.

—Todo esto —me dijo Espinoza asomando la cabeza al agujero oscuro— no lo conoce nadie más que yo y ahora te lo estoy enseñando a ti.

Habíamos hablado poco durante la caminata. Yo no estaba con ánimos de conversar. Durante tres días había tenido la mente fija en una revelación vaudevilesca y estaba esperando que en cualquier momento se produjera un desenlace grotesco —en la capilla, que Espinoza me agarrara de los pelos y me obligara a confesar mi crimen ante una imagen desteñida de San Miguel Arcángel; en el borde del tiro, que me diera un empujón—. No sólo no hablé, sino que procuré no darle la espalda a mi compañero.

Arrojamos piedras en el tiro y tardaron cinco segundos en llegar al fondo, pero ninguno se acordaba de la fórmula y no supimos hacer la operación y obtener la distancia recorrida.

Seguimos caminando y el sol empezó a pegar con fuerza. Espinoza sacó el pañuelo y se lo puso en la cabeza, sujetándolo con cuatro nudos en las esquinas.

—Ese árbol que ves allí —me dijo, señalando un eucalipto— es un cedro.

Nos sentamos en una piedra, a la sombra de un pirul, y encendimos un cigarro.

—Desde que llegaste a Cuévano —me dijo— todo ha cambiado.

Algún elemento de mi personalidad, me explicó, había afectado el humor de todos y había hecho que disminuyeran las tensiones que había entre los miembros del profesorado. Aquel paseo que estábamos dando era homenaje a mí y acto de agradecimiento.

Regresamos a Cuévano por el barrio de la Acolada y fuimos directo a los baños del Parián. Mientras sudábamos en el vapor —a mí me molestaba presentarme desnudo ante Espinoza y más me molestaba verlo— nos emborrachamos un poco bebiendo Tom Collins.

El lunes siguiente le dije a Sarita.

—Tiene tal soberbia que es muy difícil que descubra nada. No puede entrarle en la cabeza que a su mujer le guste otro hombre.

Entramos en tranquilidad y las cosas volvieron a ser como antes del recado en francés. Llegamos a estar tan confiados que escribí doce recados firmados Percy Faith.

12. LLEGARON LAS LLUVIAS

Pasaron los meses de la primavera y llegaron las lluvias. Llegaron las lluvias y llegaron los niños, que estaban en México con la abuela y llegó la criada, Elpidia.

Sarita —nunca la admiré tanto— no creyó ni por un momento que la noticia del regreso de sus hijos fuera a regocijarme. Me dijo:

—Será más difícil, pero estoy segura de que si pensamos encontraremos la manera de estar juntos.

Sentados en el lavadero, con cubas libres en la mano, estudiamos el problema. Los niños se acostaban a las ocho, eso nos daría una hora los lunes, miércoles y viernes entre el mutis de los niños y la entrada en escena de Espinoza. Pero quedaba Elpidia quien, según Sarita, tenía la costumbre de esperar al señor, sentada en una silla de la cocina, para calentarle la cena. Otra posibilidad: los niños en el kindergarten, Elpidia en el mercado y Espinoza dando clase de Historia de la Teosofía. Pero había incompatibilidad de horarios: se oponía con mi curso de Novela Latinoamericana Contemporánea.

Por un instante creímos que sería factible que Sarita me visitara en el hotel Padilla: inventar una clase de inglés o de francés, o de tejido, que le diera pretexto para salir de su casa tres veces por semana, de siete a ocho, por ejemplo, abordar un camión, apearse frente al hotel, entrar en éste y llegar hasta mi cuarto, donde estaría yo esperándola. Pasado el instante, el plan se llenó de espinas. Para justificar sus clases, Sarita tendría que comprar libros, cargarlos, hacer de vez en cuando un ejercicio, inventar un maestro... no, una maestra, que viviera cerca del hotel. Algo peor era la entrada en éste. Había que pasar todas las veces por el vestíbulo, frente al Pelón Padilla. Al llegar a este punto me acordé de lo que él me había dicho una tarde de confianzas:

—Si yo me prestara a ciertas inmoralidades, tú me entiendes, si alquilara cuartos a parejas, me iría estupendamente.

Más discreto sería entrar por una puerta que había trasera, pero nomás de imaginar a Sarita caminando entre la nopalera, con libros de inglés bajo el brazo y zapatos de tacón alto, decidí desechar al hotel Padilla como lugar de reunión.

Mientras discutíamos sentados en el lavadero, nos picó el primer mosco del año. Se encendió el letrero que había en la cúpula de la iglesia, «venid, pecadores, venid a pedir perdón», y no habíamos encontrado una solución satisfactoria.

—Cuando haya manera de vernos —me dijo Sarita al despedirse—, yo te llamo.

En ocho días no supe de ella. Decidí escribir un libro sobre las Baladro, las madrotas asesinas que habían sido juzgadas en Pedrones y condenadas a treinta y cinco años de cárcel, y con ayuda de Justine, que había seguido el caso con atención y tenía los recortes, empecé a recopilar el material necesario: las fotos de las putas, la historia de los burdeles, las declaraciones del defensor de oficio, «yo las defiendo porque ni modo, pero lástima que no haya pena de muerte en el Plan de Abajo, que es lo que merecen estas viejas», etcétera. Todo este material lo ordenaba yo por las tardes, echando de vez en cuando una mirada hacia la ventana de Gloria —a veces la veía cepillarse el cabello frente al espejo, una vez se cambió de camisa y la vi un instante en *brassiere*, otra, se bajó el cierre de la falda y cuando parecía que iba a quitársela, yo estaba alborotadísimo, se dio cuenta de que la ventana estaba abierta y cerró la vidriera—, discutí con Malagón mi libro, como si ya existiera, «es un documento devastador sobre la justicia mexicana», me dijo él, imaginándoselo, y por fin, el viernes me habló Sarita.

—Vente a las ocho —me dijo desde un teléfono público.

Elpidia, supe después, había pedido permiso para ir a velar un muerto.

Sarita, que acababa de acostar a los niños, tenía puesta la bata de maternidad cuando abrió la puerta. Hicimos el amor en los escalones del vestíbulo. Nada había cambiado entre nosotros.

Vimos el reloj. Si nos apurábamos teníamos tiempo de tomarnos una cuba libre rápida, sentados en el lavadero. Fuimos a la cocina a prepararla. Yo estaba sacando los hielos del refrigerador cuando me di cuenta de que Sarita, que había abierto la alacena donde escondía el ron que a mí me gusta, se había quedado como petrificada. Sacó la botella y me la mostró: estaba casi vacía.

—¿Has tomado de ella? —le pregunté.

—Ni una gota.

Era la botella que yo había comprado el último jueves que habíamos estado juntos y se había quedado llena en tres cuartas partes. Que la botella estuviera casi vacía significaba que Elpidia bebía a solas, que había dado con nuestro escondite, y, peor que todo, que sabía que en la casa había una botella de un ron que el señor detestaba.

No sabíamos qué hacer. Si preparábamos la cuba con el ron que quedaba, la criada notaría que algo raro había pasado en su ausencia, si no tomábamos nos quedábamos con ganas, si yo salía a comprar otra botella al Cuerno de la Abundancia, perdíamos quince minutos preciosos, si tomábamos una copa del brandy espantoso que le gustaba a Espinoza corríamos peligro de que él sospechara de la criada y le hiciera una reclamación por un crimen distinto, pero equivalente al que ella había cometido en la realidad.

Tomamos café sentados en el lavadero y nos quedamos tan preocupados que nos despedimos al cuarto para las nueve.

Pasaron diez días. Gracias a una recomendación de Sebastián Montaña, el juez encargado del proceso me permitió hojear el expediente de las hermanas Baladro —una lectura llena de contradicciones a la que dediqué tres ratos libres—, Espinoza me mostró, en la Flor de Cuévano, las fotografías de sus hijos —que yo ya había visto, pero esa vez descubrí en la niña un parecido a Sarita que me llenó de nostalgia—, Rocafuerte me dijo que ya vendió tres Nikkonakas al Gobierno del Estado, desgraciadamente, agregó, el pedido crece y crece, pero el contrato sigue sin firmar, discutí mi libro con Ricardo Pórtico, y él me dijo, «tienes para seiscientas páginas cuando menos», di vueltas en el jardín de la Constitución con Gloria, vestida de azul claro, que le queda muy bien, yo le dije que estaba escribiendo un libro sobre las Baladro, de seiscientas páginas, y ella me miró un rato, llena de admiración. ¡Qué bella es Gloria! En este pueblo no hay nadie como ella. El miércoles me habló Sarita.

—Dije que tengo una cita con el dentista —me dijo—, y mañana voy a Pedrones.

Yo inventé un enredo. Le hablé a Sebastián Montaña y le dije que el director de la cárcel de Pedrones me había concedido una entrevista con las hermanas Baladro y que no iba a poder asistir a clases el día siguiente.

Sarita y yo nos encontramos a las once en la plaza de Armas de Pedrones, hicimos el amor en el hotel San Sebastián, tres veces, comimos tacos de carne al pastor en el mismo cuarto, y regresamos a Cuévano con diferencia de una hora, ella en el autobús de las cinco y yo en el de las seis. Al día siguiente tuve que relatar cinco veces mi entrevista con las Baladro y responder a preguntas tan difíciles como la de si los dientes de la hermana menor son postizos o propios.

El viernes de la semana siguiente, Sarita me habló por teléfono.

—Se van todos a una hacienda —me dijo—. Vente a pasar la noche.

¡Pasar la noche! Sería la primera entera que pasaría yo con Sarita. Compré de todo: latas de pasta de anchoa, galletas importadas, una botella de vino, aceitunas negras, etcétera.

A las seis de la tarde en punto, la hora convenida, llegué ante la puerta de los Espinoza, golpeé el aldabón dos veces, conté hasta cinco y volví a golpear. En vez de abrirme la puerta Sarita con una flor de buganvilla en la boca, como yo esperaba, me abrió una mujer desconocida, con un lunar peludo en el labio superior. Nos quedamos unos segundos mirándonos sin hablar. Ella tenía los ojos amarillos y llenos de desconfianza. Afortunadamente una vocecita interior me dijo «es Elpidia» y me sacó de la perplejidad.

—¿Está el doctor Espinoza? —pregunté con una voz que parecía ajena.

—No está, señor, pero está la señora, ¿quiere usted hablar con ella?

—Si me hace usted favor de llamarla.

—¿De la parte de quién?

—Del profesor Aldebarán.

Dejó la puerta entornada y fue a buscar a Sarita. Se me ocurrió en ese momento que debí haber dicho que yo era Percy Faith, lo que hubiera sido la catástrofe.

Sarita salió a la puerta muy extrañada. Yo empecé a recriminarle, «¿no me dijiste que…?». En un instante se aclaró todo. En mi entusiasmo de oírla decir «vente a pasar la noche», había entendido que se trataba de esa misma noche, la del viernes, y no la del sábado, como ella había querido decir. Para justificar mi visita, acordamos decirle a Espinoza que yo había pasado por un diccionario de sinónimos, que me urgía. Regresé al hotel Padilla con un diccionario de sinónimos y una bolsa del Cuerno de la Abundancia llena de bastimento. No pude dormir bien.

La noche del sábado, en cambio, fue gloriosa. Tampoco pude dormir bien. A las once de la noche, cuando se acabó la pasta de anchoa, las galletas importadas y las aceitunas negras, tuvimos hambre. Sarita bajó a la cocina, hirvió agua en un traste y puso spaguetti a cocer. No volvió a acordarse de que había algo en la lumbre hasta que empezamos a oler a quemado. Eran las doce.

Sarita bajó apresuradamente a la cocina y descubrió que el spaguetti se había convertido en una masa compacta y negruzca. Lo desprendió de la olla con dificultad, lo tiró en la basura y puso a cocer otra porción de spaguetti.

Cenamos desnudos, en la mesa de la cocina, con el vino francés que yo había comprado la víspera. Cuando terminamos de cenar fui a la alacena donde estaba guardado el ron que a mí me gusta y vi que estaba intacto, a dos dedos del fondo. Elpidia, por lo visto, se atrevía a beberlo en cualquier cantidad, pero creía que en el momento de terminarse la botella iba a ser descubierta. Yo me sentía de tan buen humor, que tomé la otra botella de ron que teníamos y eché un chorro en la botella de Elpidia, para que ella pudiera tomarse otros tragos hasta volver a dejarlo a dos dedos del fondo.

La verdadera personalidad de Elpidia y sus habilidades ocultas quedaron reveladas dos semanas después, la noche que exhibieron en el cine Centenario la película inmoral.

Como corrió la voz de que la película era muy inmoral, pero muy buena y nomás la iban a dar un solo día, el cine se llenó de bote en bote. Durante el entreacto pude ver, en la cuarta fila, a Gloria con Rocafuerte, en la octava, a los padres de Gloria, en la décima, a los Espinoza, Sebastián Montaña con su mujer en la onceava, y así sucesivamente. Yo estaba con los Pórtico.

Se apagó la luz y vimos la película inmoral. Es la historia de una mujer que es alternativamente amante de dos hombres que son grandes amigos entre sí, sin que la circunstancia de que ella vaya del primero al segundo y del segundo al primero modifique en nada la amistad. En el cine se sentían las emanaciones de horror que despedían los espectadores, la mayoría de los cuales estaban escandalizados ante esta historia terrible contada tan cínicamente. A veces se oían exclamaciones susurradas:

—¡Ay, qué bárbara! —o bien—: Mira qué tranquilo se queda.

Eso sí: nadie se movió de su asiento hasta el final de la película: la mujer invita a uno de sus amantes —el que no está en turno— a dar una vuelta en un coche, mientras el otro se sienta en una mesita a tomar un café, y ve cómo el coche que ella conduce toma una rampa, entra deliberadamente en un puente en construcción y se precipita en medio de un lago. Fin.

La mayor parte del público salió de mal humor. Iba yo hacia la salida cuando se me emparejaron los Revirado. El doctor dijo «¡qué inmundicia!», y se fue a buscar su coche. La Rapaceja que se quedó a mi lado, me sonrió pícaramente y me dijo:

—¡Ya sé, Paco, ya sé! Ya me contaron que la otra noche estuviste en casa de los Espinoza, quisiste calentar unos tamales, se quemaron y tuviste que echarlos a la basura.

Me quedé helado. No pude ni siquiera decirle que no sabía de qué me hablaba.

—No, no vayas a creer que soy bruja, tú. Es que la sirvienta de los Espinoza es hermana de mi sirvienta y le cuenta todo lo que pasa allí.

En la puerta del cine nos despedimos, ella se fue a buscar a su marido, yo a encontrar a los Pórtico, que me estaban esperando. Caminamos por el callejón, cuesta abajo, con cuidado, porque había llovido y el piso estaba resbaloso, comentando la película inmoral, que a los tres nos había gustado mucho.

En el fondo de mi cerebro sentía una gran admiración por Elpidia y sus poderes de deducción; había interpretado los signos correctamente —excepto el de spaguetti por tamales—, había recordado mi nombre del día que me abrió la puerta, había llegado a la conclusión exacta —una fiesta el día en que todos, menos la señora, se habían ido a la hacienda—, para después revelar el chisme explosivo, en el extremo opuesto de la ciudad, a quien menos podía interesarle.

Cuando desembocamos en la plaza de la Libertad y vi los faroles encendidos reflejados en el pavimento húmedo, comprendí que mi relación amorosa con Sarita, que había sido perfecta, había terminado. Elpidia le había puesto el punto final.

Me dio mucha tristeza.

13. GLORIA INVITA

Era agosto, el semestre estaba a punto de terminar. Gloria y yo íbamos en el cochecito rumbo a la última clase.

—El jueves lo invito a comer en mi casa —me dijo.

Yo acepté inmediatamente.

—Será una comida común y corriente, pero es de agradecimiento. Lo invito a usted y a otros dos o tres maestros, porque no se me ocurre otra manera de corresponder a sus clases, que fueron tan interesantes, y al tiempo que han perdido conmigo.

—Gloria, no digas tonterías. Alumnas como tú son las que le dan sentido a la labor del maestro.

—Gracias. Debo confesarle que tengo otra razón, más egoísta, para invitarlos a ustedes: Raimundo viene a comer en la casa todos los jueves, y comemos, Raimundo, mi papá, mi mamá y yo. Es aburridísimo. Quiero variar.

Recorrimos otras cinco cuadras antes de que yo me atreviera a preguntarle:

—¿Cuándo es la boda? —esperando que ella me contestara «nunca, porque estoy mala del corazón».

—Mi padre está empeñado a que esperemos hasta el año entrante, pero Raimundo quiere que nos casemos el mes próximo y va a tratar de convencerlo. A mí me da lo mismo.

Vi la enormidad de la situación: Gloria, evidentemente, no tenía idea de la gravedad de su mal, el doctor, en cambio, quería ganar tiempo, quería esperar a que el contrato estuviera firmado, las computadoras entregadas, el dinero pagado y la comisión en el banco para enseñar el juego: «casi se me olvidaba decirle, ingeniero, que mi hija está muy enferma».

—Si te da igual casarte ahora que casarte el año que viene mejor no te cases —le dije a Gloria.

—Es que no me da igual casarme que no casarme. Quiero casarme. Casarme el mes próximo significaría empezar a arreglar mis cosas, buscar casa y salir de la mía para siempre en cosa de cinco semanas. Eso me gustaría.

No sé por qué me molestó tanto esta prisa por irse a la cama con Rocafuerte. Ella siguió:

—Esperar al año entrante tiene, en cambio, otras ventajas: Raimundo concluiría sus negocios con toda calma, eso significaría que tendríamos más dinero para comenzar, podríamos hacer un viaje largo de bodas y yo terminaría mi segundo semestre, lo cual no me desagrada. Las dos alternativas son diferentes, pero se reducen a lo mismo: quiero a Raimundo y voy a ser feliz con él.

«Quiero a Raimundo», me lo tenía merecido.

—De cualquier manera —concluyó— si me caso el mes próximo voy a echarlo de menos a usted.

—Y yo a ti.

Habíamos llegado a la Universidad. Nos quedamos en el coche, mirándonos a los ojos, como para demostrar que lo que acabábamos de decir era la pura verdad. Después cada quien abrió su portezuela.

Al apearme vi pasar, a una cuadra de distancia, a Sarita, que cruzaba la calle del Sol con la botella del petróleo. Nunca le pregunté, pensé, para qué usa el petróleo.

Gloria me miraba con sus ojos perfectos desde el otro lado del coche. Cruzamos juntos la calle y entramos juntos en la Universidad.

En el taxi que nos llevó del centro a la casa de los Revirado, los Pórtico, que también habían sido invitados, y yo, discutimos el problema de Gloria.

—Desde el punto de vista ético —dijo Ricardo— nuestro deber está muy claro: tú, Justine, debes decirle a Gloria: «no puedes casarte, estás muy enferma, no pasarán del primer orgasmo».

—Yo no le digo nada.

—Pues te haces responsable. Piensa que esta mujer está en peligro de muerte.

—¿Por qué no se lo dices tú?

—Porque yo soy hombre y no puedo hablar de orgasmos con una señorita.

—Pues por mí, que caiga el mundo. Apenas conozco a Gloria y no puedo hablar con ella de cosas tan íntimas.

—Si no vamos a hacer nada, nuestra obligación debería ser, cuando menos, no asistir a la comida.

—No tengo nada preparado en casa.

—Chofer, deténgase en el hotel Padilla.

—Hay crepas Isadora —advertí.

—¿Cómo son?

—Rellenas de picadillo, bañadas de crema y con una rayita de catsup para adorno.

—Chofer, siga hasta la casa del doctor Revirado.

Eleudora, la criada hermana de Elpidia, nos abre la puerta. Nuestras miradas, cargadas de electricidad, se cruzan un instante. Ella nos conduce a través de pasillos y de la sala, a una terraza en donde está Gloria arreglando unas botellas sobre la mesa. En vez de decirle que está gravísima y de pedirle que no se case, decimos, ¡ay, qué agradable está aquí! ¡en la calle hace un calorón! ¡qué bonitas plantas!

Aquella terraza era la única parte habitable de la casa. Gloria llevaba el vestido azul que tan bien le sentaba. Al verla me volvió a dar otra vez la perplejidad que ella me producía.

—Esta buganvilla, cuando florea, es rojo sangre —nos dijo—, aquella araucaria que se ve allá está en la casa de doña Matildita Buenrostro, que murió en olor de santidad y cuyo espíritu se pasea todas las noches por los corredores. ¿Qué toman?

Cuando ella acababa de servir lo que le habíamos pedido, llegó el doctor, que venía muy acalorado.

—Vengo del hospital —nos dijo, secándose la frente con un kleenex—, tuve una operación de urgencia. Algo muy desagradable. La vida del médico es puro sacrificio. ¿Pero, qué les estás dando, muchacha? No, no, no, no, que se lleven esas copas.

Gloria, con un gesto de resignación, retiró las copas y el doctor fue a buscar una bebida muy especial que guardaba en el último rincón de la casa.

Cuando habíamos llegado a la terraza, después de saludar a Gloria, nos sentamos, las sillas de mimbre crujieron, cuando llegó el doctor, nos levantamos, cuando se fue a buscar la botella, nos volvimos a sentar, entonces entró la Rapaceja, nos levantamos, la saludamos y nos sentamos, llegaron las hermanitas Verduguí, nos levantamos y nos sentamos, llegó Sebastián Montaña, ídem, llegó Rocafuerte con su traje azul pavo, ya nadie tuvo ánimos para levantarse.

«Suegra», le dijo a la Rapaceja, y la besó en la mejilla, al doctor lo abrazó, y a Gloria le dio un beso en la boca. Exudaba optimismo. A la tercera frase empezó a venderle una Nikkonaka a Sebastián Montaña.

El doctor había traído del fondo de la casa un barrilito de tequila añejo, «de la reserva particular de don Adalberto Trejo», nos dijo. Sirvió una copa a cada uno, hasta a los que dijeron «yo tequila no, muchas gracias». Bebimos un trago y dijimos que era excelente.

—Este tequila —dijo el doctor, arrastrado por la reminiscencia— es con el que brindamos cuarenta compañeros de la Asociación de Profesionistas Cuevanenses y nuestras respectivas esposas, un dieciséis de septiembre que nos tocó pasar en la isla de Melos, en el tour que hicimos a Europa, ¿verdad, mi vida?

—Fue precioso —dijo la Rapaceja.

—El sol poniéndose —siguió el doctor—, el mar, color violeta, y nosotros los mexicanos, parados en unas piedras, mirando hacia el occidente, y brindando con tequila, acordándonos de nuestra patria lejana. Miren, las lágrimas nos brotaron de la emoción.

Los que estábamos allí sentados, vimos con admiración cómo al doctor y a la Rapaceja volvían a brotarles las lágrimas nomás de acordarse.

Hablamos de espantos, de enfermedades contagiosas y de árboles genealógicos de familias desconocidas —esta parte estuvo a cargo de Ricardo Pórtico, Sebastián y el doctor—.

—Una que casó con… ya se me fue el nombre.

—¿La que tuvo un hijo al que le faltaba una oreja?

—Sí, hombre, ¿cómo se llamaba? Ay, caray, no voy a poder dormir, etcétera.

Gloria fue al interior de la casa y un poco después, apareció la criada para decir que la mesa estaba servida.

Cuando nos levantábamos de las sillas, la Rapaceja anunció:

—Todo lo que nos vamos a comer ha sido preparado por mi hija, con sus propias manos.

Y le echó una mirada a Rocafuerte, como diciendo ¡qué tesoro te llevas!

—Este alcahuetaje es innoble —me dijo Ricardo Pórtico aparte.

La comida fue excelente. Sopa de nopalitos en caldo de chile cascabel, pescado blanco del lago de Pátzcuaro, rebozado, tortolitas en salsa de almendra, queso de Flandes y café. La conversación fue un desastre.

Sebastián Montaña, que había quedado muy impresionado con la película inmoral —desde la tarde que la vimos, cada vez que me lo encontraba me decía: «¿no crees tú que estamos presenciando el desmoronamiento de la cultura occidental?»— tuvo la mala idea de sacarla a colación.

—¿Qué opinan ustedes de esa película? Porque yo comprendo que es excelente, pero al mismo tiempo, me inquieta.

Entonces, el doctor dijo algo que todos creímos haber oído mal.

—El estigma del matrimonio es imborrable —o algo por el estilo.

El segundo en meter la pata fue Rocafuerte.

—Pero, suegro, ¿qué le pasa? no hay que ser anticuado.

A esta frase tan jovial, el doctor contestó:

—Esa película no debió ser hecha y fue error craso haber permitido su exhibición en Cuévano.

Gloria dijo:

—Al contrario, es una de las pocas películas buenas que han dado en este pueblo.

—Tú fuiste a verla —le dijo la Rapaceja— en contra de la voluntad mía y de tu papá.

—Mamá, tengo más de veintiún años.

—¿Cómo va a ser conveniente —dijo la Rapaceja dirigiéndose a los demás— que una muchacha decente, esté allí sentada en el cine, con el novio, viendo inmoralidades?

Gloria dijo:,

—Una muchacha decente tiene que ver inmoralidades en el cine, porque hay cosas que es indispensable saber.

Fue uno de los momentos en que más la admiré. Los padres se pusieron morados.

—Yo creo que no entendiste la película —dijo el doctor—. Estoy seguro de que no entendiste porque lo que pasa en ella es monstruoso.

En este punto, Rocafuerte, creyendo que su encanto personal iba a convencer a sus futuros suegros y a cambiarles los principios de cincuenta y tantos años, se metió a hacer una defensa de la película y del comportamiento de los protagonistas.

Cuando terminó la exposición, el doctor y la Rapaceja estaban inmóviles, como piedras. Pasó un ratito antes de que el doctor le preguntara a Rocafuerte:

—¿Aprueba usted que un hombre, que tiene esposa, y ella se va con su mejor amigo, no le haga reclamación alguna a éste? No sólo no le hace reclamación, sino que sigue siendo su amigo, como si nada hubiera pasado. ¿Aprueba usted eso?

—Claro. ¿Por qué se habían de enojar?

—¿Ah, sí? Bueno. Dígame: ¿aprueba usted que cuando la mujer se canse del segundo, regrese con el primero y la cosa siga como antes?

—También. ¿Por qué no?

El doctor tomó aire para decir lo que le faltaba decir.

—Pues, ¿sabe lo que es usted? —hizo una pausa antes de concluir—. Un degenerado.

Silencio. Rocafuerte se quedó de una pieza.

Dicho esto, el doctor tuvo ánimos todavía para servirse otra tortolita y comérsela. No volvió a hablar.

El resto de la reunión fue difícil. Cada vez que a alguno de los comensales se le ocurría alguna frase que no fuera a desatar otra tormenta, decía:

—¡Qué bueno está el flan!

—¿Irá a llover esta tarde?, etcétera.

Cuando terminamos el café, dejamos pasar un cuarto de hora, nos levantamos y nos despedimos, diciendo que todo había estado muy rico.

14. DÍA DE CAMPO

1

Al día siguiente de la comida en casa de Gloria, el tren llegó de reculada, con quince minutos de retraso y el General Zaragoza por delante. En el andén estábamos formados, en fila, Sebastián Montaña, en representación de sí mismo, yo, en la de Ricardo Pórtico, que no había querido levantarse temprano, Malagón, por la Escuela de Historia, Espinoza, por la de Filosofía, y Carlitos Mendieta, porque lo habíamos encontrado cuando íbamos camino a la estación y él salía del café de chinos sin nada qué hacer.

En la escalerilla del Zaragoza iba un hombre distinguido, de saco de *tweed* y cabello blanco deslumbrante. Sonreía hacia donde estábamos parados y agitaba la mano. Era el doctor Rivarolo, que llegaba a Cuévano a dar una conferencia para rematar el semestre.

Antes de que el tren se detuviera por completo, el doctor Rivarolo saltó con agilidad, dio un traspié, se metió una zancadilla a sí mismo, y cayó al piso.

Después de un instante de consternación, corrimos hacia donde estaba tendido el conferenciante, y lo ayudamos a levantarse. Él se puso de pie diciendo, «es que calculé mal». Cuando Sebastián se cercioró de que el recién llegado no tenía ningún hueso roto, lo abrazó, hubo presentaciones, y fuimos caminando hacia la salida de la estación, primero Sebastián y Rivarolo tomados del brazo, después el cargador con las maletas y por último, nosotros cuatro, murmurando:

—Me parece que cojea.

—¿Se fijaron? Cuando se cayó se vio como que las rodillas se le doblaban para fuera.

Sebastián y Rivarolo lucharon para evitar que el otro le diera la propina al cargador —ganó Sebastián— y después, todos nos apretamos en el taxi, ellos dos con el chofer y nosotros cuatro atrás.

—¿En qué hotel le apetece alojarse, doctor? —preguntó Sebastián.

—En uno que haya camas muy anchas.

Sebastián, sin inmutarse, se volvió hacia mí y me preguntó:

—¿Qué tan anchas son las camas del Padilla, Paco?

Todos opinamos, hasta el chofer. Cada quién dijo, dónde, a su parecer, estaba la cama más ancha de Cuévano. Por fin se decidió que el cuarto número 13 del Padilla era el alojamiento adecuado para el visitante.

El coche arrancó con cada quién pensando a quién se querría coger en Cuévano el doctor Rivarolo.

Cuando pasamos frente a la que vende los quesos, que estaba espantando las moscas con un hilacho, Rivarolo, que iba mirando para otro lado, exclamó:

—Este barroco tardío es un poema.

Cuando llegamos al hotel, el Pelón Padilla dejó los menús a medias para saludar a Rivarolo y decirle que había leído todos sus libros —lo cual es mentira—.

—Dale al doctor Rivarolo —dijo Sebastián— el cuarto número 13.

El mozo entró en el elevador con las maletas y la llave con el número 13, Rivarolo tendió la mano a Sebastián, que no esperaba despedirse.

—Hemos preparado un programa —dijo Sebastián— para hacerlo pasar a usted un día típicamente cuevanense.

—Nos veremos esta noche en la conferencia —dijo Rivarolo y entró en el elevador.

Sebastián se volvió a nosotros, perplejo.

—¿Y ahora qué hacemos?

Habíamos planeado desayuno en la Flor de Cuévano, paseo en los jardines del doctor Cruchet, comida en casa de uno de los profesores —la de Espinoza había sido elegida, a pesar de las protestas del dueño, quien al día siguiente se iba con su familia a pasar las vacaciones en México— y en la noche, después de la conferencia, cena en el café de don Leandro.

—Propongo —dijo Malagón— que se siga el programa al pie de la letra como si el visitante no nos hubiera cortado.

Estuvimos de acuerdo. Mientras esperábamos el camión vimos que el joven Angarilla entraba en el hotel.

2

En la mesa del rincón de la Flor de Cuévano vimos que Gloria y Rocafuerte estaban sumergidos en una conversación apasionada y llena de eses. Tan absortos estaban que no nos vieron entrar.

Nos sentamos en una mesa, pedimos café exprés, y Sebastián Montaña dijo:

—Mira que venir a Cuévano a tener un *affaire* a expensas de la Universidad, me parece demasiado.

—No sólo eso, nos cortó —dijo Espinoza—. Señores, me rompí el pie, de acuerdo, pero por cortesía debería haber venido con nosotros. Mi mujer se pasó la tarde de ayer cocinando, ¿qué va a decir cuando lleguemos sin el invitado de honor?

—Vamos a estar más a gusto —dijo Carlitos Mendieta.

—¿Quién puede ser la amante del doctor Rivarolo? —preguntó Malagón.

Estuvimos quebrándonos la cabeza examinando candidatas: desde las letradas —Irma Bandala y Cuca Larrañaga—, hasta las putas —Cecilia Anzorena—, pasando por las vírgenes —las hermanitas Verduguí—, y llegamos a la conclusión de que en Cuévano, francamente, casi no había mujeres que valieran la pena.

Pagamos y salimos a buscar un taxi que nos llevara a los jardines del señor Cruchet. Gloria interrumpió lo que decía Rocafuerte y lo hizo volverse para despedirse de nosotros.

3

Carlitos Mendieta, que conocía los jardines como nadie, nos sirvió de guía. Nos llevó antes que nada a ver la *Golonquídea redonda*, un árbol traído de África que crece como sombrilla, tiene hojas en forma de manos y da frutos que al ser comidos provocan convulsiones.

Visitamos también la *Carándula nepótica*, un árbol de las Guayanas, que extiende sus ramas para proteger a sus parientes, que acaban por estrangularlo, la *Tríbula estupefacta*, cuya sombra produce dolor de cabeza a los que están jugando baraja, y la *Enciclopedia bombástica*, un árbol gigantesco, que da frutos del tamaño de una bala de cañón, que no sirven para nada.

Tiramos piedras en el estanque, yo volví a explicar el libro de seiscientas páginas que no había escrito, sobre las hermanas Baladro, Malagón nos contó un capítulo de su *Opúsculo,* y empezó a llover. Corrimos, por un caminito lodoso, hacia el kiosko.

Llegamos empapados, en medio de un aguacero tormentoso. Subí las escaleritas y me puse a cubierto antes de darme cuenta de que por el lado opuesto acababan de entrar otros dos refugiados. Eran Gloria y Rocafuerte.

Gloria, empapada, se veía más guapa que nunca. Estaba jadeante, tenía las mejillas sonrosadas, el pelo aplastado y una gota de agua en la punta de las narices. Era bellísima. Noté, con cierto sobresalto, que con el agua, su camisa amarillo paja se había vuelto transparente y el *brassiere* también. Rocafuerte se dio cuenta de lo mismo y se empeñó en cubrirla, so pretexto de temer que fuera a resfriarse, con su chamarra de cuero. Gloria no quiso taparse.

La carrera, el aguacero, la humedad, el gusto de encontrar a Gloria en el kiosko, hicieron que tardara un rato en plantearme la pregunta dolorosa: ¿qué estaban haciendo Gloria y Rocafuerte en los jardines del señor Cruchet?

Era evidente que el aguacero no los había sorprendido a la mitad de un paseo botánico como el que acabábamos de dar nosotros.

—En estos jardines —me había dicho Malagón en una visita anterior— han sido desfloradas más de treinta mil mujeres cuevanenses, y nomás se tienen datos de 1920 a la fecha.

Gloria se veía contenta, a pesar de la lluvia y del posible resfriado que se avecinaba. Abría las aletas nasales, como para inhalar más ozono. Las miradas libidinosas de mis compañeros estaban pegadas en su camisa. Ella, afortunadamente, se sentó en el último escalón, a ver llover, y nos dio la espalda.

Rocafuerte, en cambio, había cambiado, era más cariñoso con ella, más responsable, como que se había vuelto más serio. Lo que había dicho el doctor el día anterior le había quitado su seguridad.

El aguacero seguía y el kiosko se convirtió en una isla, en medio de un río de lodo. Entonces, a Espinoza se le ocurrió la única idea de aquel día.

—¿No se les antoja un mezcal? —les preguntó a Rocafuerte y a Gloria.

Ellos dijeron que sí.

—Nomás que salgamos de aquí los invito a mi casa, tengo mezcal de la sierra de Güemes y hay comida, muy sabrosa. Mi mujer nos está esperando. ¿Qué les parece?

Rocafuerte le preguntó a Gloria, «¿Qué dices?», y ella después de titubear un momento, dijo que sí. Estaba en plena liberación.

4

Se me hacía tan raro llegar a casa de Sarita con tanta gente, sentarme en la sala y verla a ella de anfitriona, ir de un lado para otro, preguntándome, «¿qué puedo ofrecerte?», cuando sabía tan bien lo que me gustaba. Yo no podía ayudarla, porque tenía que fingir que no sabía dónde estaba el refrigerador ni en qué lugar se guardaban los vasos.

Entraron los niños a saludar. Yo no los conocía más que de fotografía. «¡Qué niños tan simpáticos!», dijimos todos. A mí me parecieron chocantísimos. Afortunadamente se fueron al poco rato.

Por el pasillo vi pasar la sombra de Elpidia que iba a comprar chicharrones, Rocafuerte quiso mostrarle a Sebastián Montaña cómo funcionaba la Nikkonaka, Espinoza llevó a Malagón y a Carlitos Mendieta a la biblioteca para enseñarles un libro raro, Sarita fue a la cocina, yo me quedé solo con Gloria.

—¡Estoy tan apenada con ustedes! —me dijo.

Le dije que no fuera tonta, que nadie es responsable de lo que diga o piense su padre. Para consolarla le puse la mano sobre el hombro —su carne me daba escalofríos—. En ese momento entró Sarita y se fue a sentar en el sofá.

Nunca he visto a dos mujeres hacerse amigas tan rápidamente —después de vivir en el mismo pueblo tres años sin hablarse—. Me ignoraron. Empezaron preguntándose, «¿dónde compraste tu camisa?», y acabaron diciendo, «¡qué triste es la vida de provincia, pero en las tardes, qué bonita!» En todo estaban de acuerdo. Cuando me levanté del sofá para ir a la biblioteca, ya Sarita estaba preguntándole a Gloria cuándo pensaba casarse. ¡Yo me había tardado seis meses para llegar a este punto!

—El mes que entra —dijo Gloria.

Es decir, Rocafuerte había ganado. Mientras contemplaba un libro viejo que contenía la correspondencia entre el doctor Mena y el licenciado Pruneda, pensaba, ¿me atreveré a decirle a Gloria lo que le va a suceder? Pero no, sabía que no iba a atreverme.

Regresé a la sala.

—Mi padre —decía Gloria— es un hombre que tiene una moral de hace cincuenta años.

Estaba chupando limón y tenía el vaso de mezcal a medias. Sarita, sin dejar de poner atención a lo que estaba diciendo su nueva amiga y sin que ésta se diera cuenta, me puso la mano sobre el pantalón y me apretó el sexo.

Salí del recibidor con palpitaciones y llegué al pasillo donde estaba la Nikkonaka.

—Este precio que le estoy dando —decía Rocafuerte—, nadie se lo mejora.

En ese momento llegó Elpidia con los chicharrones y pasamos al comedor a hacer tacos.

5

Después del aguacero el aire se había limpiado, no se veía brizna de polvo, en el cielo no había una nube, el empedrado del callejón de las Tres Cruces estaba reluciente, una parvada de pichones volaba alrededor de un fresno.

Habíamos salido a los balcones. Espinoza, Malagón, Gloria y Rocafuerte se recargaron en el que da al Triunfo de Bustos, Sebastián, Carlitos, Sarita y yo, en el que da a las Tres Cruces.

Había sido una tarde agradable, aparte de varios sustos. Sarita, que estaba de humor juguetón, me había tendido una celada: había aparecido súbitamente detrás de una puerta y me había dado un beso voluptuoso a veinte centímetros de Sebastián Montaña, que de milagro no se había percatado de nada. En otra ocasión, hizo que yo tirara el café y me manchara la ropa: yo estaba de pie, con la taza y el platito en la mano y ella se me acercó a traición y me dio un dedazo en el culo.

Después de la comida Sarita puso discos de Percy Faith y bailó, primero sola —sabía cimbrarse como Tongolele—, después con su marido —que era pésimo bailarín—, después con Sebastián —que había sido el rey del chárleston (en Cuévano)—, después con Malagón —que me dijo más tarde, «a mí esta mujer me vuelve loco»—, y por último, conmigo —que pasé un mal rato, porque ella se empeñaba en montarse en mi sexo—. Carlitos Mendieta se negó a bailar y estuvo haciendo bocetos.

Mientras tanto, Gloria bailaba, muy discretamente y muy bien, con Rocafuerte. Yo lo envidié y hubiera querido bailar con Gloria, pero los vi tan enamorados, que no me atreví a interrumpirlos. Sentí que ella hubiera bailado conmigo por compromiso, que era una humillación que yo no estaba dispuesto a aceptar.

Nunca vi a mis amigos de mejor humor. Espinoza

hizo cante jondo —nadie le conocía ese talento, ni él mismo—, Sebastián cantó, «Yo nací rumbero y jarocho, trovador de veras», y después gritó por la ventana, «¡Muera Agustín Lara!» —no lo oyeron más que los arrieros que iban pasando por el Triunfo de Bustos con una carga de carbón—, los demás, hicimos, con la colaboración de Sarita, una pirámide sobre una mecedora, parecida a las que hacen los motociclistas de tránsito los días veinte de noviembre. Rocafuerte y Gloria, por su parte, fueron descubiertos besándose detrás de una puerta —exactamente en el lugar en que Sarita me había tendido una celada un rato antes—.

—¡Éste es el preludio de un suicidio!— dije para mis adentros, mientras los demás se reían de los enamorados y éstos se ruborizaban.

Inmediatamente después de este descubrimiento, salimos a los balcones. Estábamos sudorosos, de buen humor, un poco excitados, borrachos. Hacía un fresco muy agradable.

Malagón me preguntó, refiriéndose a Sarita:

—¿Traerá calzones?

Había querido acomodarse junto a ella, pero no cupo y tuvo que irse al otro balcón, junto a Gloria. Yo hubiera cambiado con él de lugar, pero Sarita me tenía agarrado y no me soltó.

Estuvimos un rato platicando, mirando el cielo, el empedrado, los pichones volando, cuando empezó el insulto.

Los que estábamos en el balcón de las Tres Cruces, no vimos nada al principio. Ni oímos bien. El sonido de una voz lejana se mezcló con el de nuestra conversación, sin interrumpirla hasta que llegó hasta nosotros con toda claridad una frase.

—¡...no tiene usted consideración...!

Era la voz de una mujer airada, que hablaba a gritos.

—¿Será un pleito? —preguntó Sebastián Montaña.

—¡...la honra de mi hija...!

Parecía un pleito muy interesante. Como la voz nos llegaba del lado de la calle del Triunfo de Bustos, decidimos cambiar de balcón para oír mejor. Al entrar en el recibidor vimos las espaldas de los cuatro que estaban apoyados en el barandal. Los gritos retumbaban. Hasta que Gloria habló comprendí que el pleito era con uno de los que estábamos allí. Ella dijo:

—Mamá, por favor, serénate, porque estás haciendo el ridículo —habló con voz calmada pero firme.

Me acerqué a la ventana y sobre el hombro de Espinoza vi lo que pasaba en la calle. La Rapaceja, con la boca abierta, estaba en la acera de enfrente. El doctor, que parecía resignado, tenía la cabeza entre las manos y los codos apoyados en el capacete del coche negro. En nuestro bando, Gloria estaba sonrojada y Rocafuerte blanco como un papel. Lo vi quitar la mano que había estado sobre la cadera de Gloria y ponerla sobre el barandal.

La Rapaceja, en diez segundos de vociferación, expuso las horas de angustia de una familia decente. La hija ha desaparecido —es decir, no llegó a las dos de la tarde, como es la costumbre—, telefonazos a las amigas, se reciben noticias alarmantes: alguien la ha visto en la Flor de Cuévano, platicando con el novio, se le vio en un coche que iba rumbo a los jardines del señor Cruchet. ¡Alarma! Aguacero. Son las cinco de la tarde y la hija, que apenas tiene veintiún años, no ha regresado. Telefonazos a la morgue. Inútil. Ninguno de los cadáveres que están en la plancha responde a las señas de Gloria. Desesperados, los padres salen en el coche a buscarla por la ciudad. ¿Y dónde la encuentran? Abrazada del novio, en el balcón de una casa extraña, que da a una de las calles más transitadas de Cuévano, dando qué decir a los que pasan. Por si fuera poco, se oyen risas y música.

La Rapaceja a Rocafuerte, para terminar:

—El honor de una mujer es un espejo que cualquier aliento fétido empaña.

Rocafuerte, por supuesto, no sabe qué contestar y se queda mudo.

Sebastián se abre paso hasta llegar al balcón.

—Elvirita, un momento, es un ágape académico. Tu hija no está entre pelafustanes ni entre desconocidos, sino entre lo más selecto del profesorado de la Universidad de Cuévano. Estamos en casa del licenciado Espinoza —lo señala, está limpiando sus anteojos—, hay damas presentes —Sarita, con el escote bajado, por el calor—, y yo aquí presido. Te juro, Elvirita, que no he perdido de vista a Gloria un solo instante: su comportamiento ha sido intachable, y el de este muchacho —la mano en el hombro de Rocafuerte— no se ha apartado un milímetro de lo que debe esperarse de un caballero. Si quieren comprobar que todo está en orden, ¿por qué no pasan un ratito?

Por toda respuesta, la Rapaceja le dijo a Gloria:

—Nos vamos a la casa. Baja inmediatamente.

Y Gloria le contestó:

—No bajo.

No levantó la voz. Estaba furiosa, pero se contenía. Se veía mejor que cuando la vi empapada en el aguacero. Mientras más difícil era la situación en que se encontraba, más me gustaba. Su madre repitió la orden:

—¡Gloria, baja...! ¡Te ordeno que bajes...!

El doctor intervino:

—Gloria, ¿qué no ves que tu mamá está muy nerviosa?

—¿Qué no me oyes? ¡Que bajes inmediatamente...! ¡Gloria...!

Gloria, que se había quedado sola en el balcón, porque los demás se habían ido retirando ante el ataque de la Rapaceja, tomó ambas hojas de la vidriera y la cerró, sin esperar a que su madre terminara de gritar. Después, deliberadamente, echó el picaporte.

Mientras tanto, los demás tropezábamos unos con otros en la habitación, haciendo comentarios en voz baja: «¡esto fue un plato!», «parece película de Ninón Sevilla», «¿te fijaste cómo echaba espuma por la boca?», etcétera.

Gloria fue a donde estaba Rocafuerte y delante de todos lo besó en la boca. Los demás, discretamente, salimos al pasillo, para no presenciar este acto —un beso largo y salivoso, al principio del cual, por cierto, Rocafuerte no hallaba dónde poner las manos, que colocó más tarde en los costados de Gloria, cerca del nacimiento de los pechos, una indecencia—.

—¿Qué te parece? —le pregunté a Carlitos Mendieta, con quien había entrado en la biblioteca a buscar una botella de aguardiente que se había extraviado.

—Ay, muy divertido —me contestó—, una de las tardes más agradables de mi vida.

—¿Sí? Pues a mí me parece el principio de un suicidio.

Carlitos se quedó muy extrañado.

—¿Cómo? ¿Por qué?

—Porque van a cogerse a Gloria... —al oírme expresar de esta manera, comprendí que estaba perdiendo los estribos, pero seguí hablando— y está enferma del corazón.

Dejé a Carlitos en la biblioteca con la boca abierta y salí al pasillo con la botella, allí estaban Sebastián, Malagón, Espinoza y Sarita, en conciliábulo.

—En rigor, estamos obligados —decía Espinoza.

—Además, no es ninguna molestia, porque nos vamos mañana en la mañana —decía Sarita.

—Pero se echan dos enemistades muy serias —dijo Sebastián Montaña.

—A mí no me importa —dijo Sarita, y dirigiéndose a su marido—, ¿te importa a ti?

—Para nada.

—Entonces voy a hacerlo —dijo Sarita y entró en el recibidor.

Sebastián me explicó:

—Parece que Gloria no quiere regresar a su casa y Sarita va a invitarla a que se quede en ésta, y que viva aquí mientras ellos están en México.

Aquél hubiera sido el momento de intervenir. Entrar en el recibidor y decir: «este matrimonio no se puede llevar a cabo, porque hay un impedimento». Pero como hubiera sido demasiado ridículo, decidí callar para siempre.

Se oían las voces:

—Pero es mucha molestia...

—Ninguna... nosotros nos vamos a las once... te quedas aquí como si estuvieras en tu casa...

Sarita hablaba dirigiéndose a los dos, como si fueran marido y mujer, o, mejor, como si los estuviera casando. ¡Y les entregó las llaves! Gloria estaba encantada; Rocafuerte había envejecido diez años.

6

Los Pórtico se arrepintieron de no haber ido al día de campo, ni a la comida en casa de los Espinoza.

—*Nous sommes desolés* —dijo Ricardo, cuando Espinoza, Malagón y Carlitos Mendieta, arrebatándose la palabra uno al otro, terminaron de reconstruir la escena de lo que iba a pasar a la mitología cuevanense, como «el insulto».

Estábamos en el Pascualito, esperando a que comenzara la conferencia. Yo quedé en el extremo de la fila y no intervine en la conversación. Yo sí que me sentía desolado.

Los estudiantes que llenaban la sala prorrumpieron en un aplauso motivado en parte por la perspectiva del fin de cursos. Todo el mundo estaba de buen humor, menos yo. En el estrado estaban Sebastián y Rivarolo (de bastón).

Este último vestía impecablemente, de azul marino, con un pedacito de vendaje blanco asomando por el tobillo —decían que el médico que lo vendó había diagnosticado «luxación compuesta»—. Al sentarse hizo un gesto de dolor. Sebastián, al hacer la presentación, nos advirtió que estábamos a punto de escuchar al Newton de la crítica histórica, después bajó del estrado y fue a sentarse en la primera fila. El conferenciante se caló las gafas con parsimonia, echó una mirada a las notas que tenía enfrente y luego, levantando la cara, como un poco sorprendido por haber encontrado algo muy interesante, dijo:

—*O fortunatus nimium, sua si bona norint, Agricolas.*

El resto de la hora y media que duró la conferencia, lo dediqué a observar narices: en un cuarto cerrado, se van poniendo lustrosas, las de base ancha corresponden a gente más bien terca que inteligente, con la edad, los poros se van abriendo, como cráteres lunares, por las fosas de las de las mujeres no asoman pelos, etcétera.

El aplauso final me sacó de mi ensimismamiento.

El joven Angarilla, en la tercera fila, parecía entusiasmado. Se había puesto de pie para aplaudir. Nosotros nos levantamos y aplaudiendo nos abrimos paso hasta llegar al estrado. Malagón, que caminaba a mi lado, me preguntó, sin dejar de aplaudir:

—¿Tú crees que Sarita se deje?

—¿Cómo dices?

—Que si crees que Sarita se deje.

Nos separamos. Malagón dio la vuelta por un lado de la mesa y yo por el otro, para felicitar a Rivarolo y decirle lo interesante que nos había parecido su conferencia. Después tuvimos que ayudarlo a bajar del estrado.

Salimos del Pascualito, cruzamos el patio, salimos a la calle y fuimos caminando, en bola, interrumpiendo el tránsito, hasta el café de don Leandro, que quedaba a diez puertas, pero para recorrer la distancia tardamos diez minutos, porque Rivarolo titubeaba un rato antes de dar cada paso.

Se oían comentarios culteranos.

—A mí, francamente, me interesa más el problema de la oscuridad en Sor Juana, etcétera.

Malagón me agarró del brazo.

—Tengo que contarte una cosa —me dijo—. Sarita y yo nos quedamos solos en la biblioteca un momento, y yo le dije: «Sarita, yo quiero poseerla». ¿Qué te parece? No está mal, ¿verdad?

—¿Y ella qué te contestó? —le pregunté, con cierta aspereza.

—Nada. Salió del cuarto riéndose. Pero no me dijo que estuviera faltándole al respeto, ni nada de eso. Ya es adelanto, ¿no crees?

Me le quedé mirando: tenía anteojos gruesos, dientes manchados, bigotes disparejos, ya no era joven... Comprendí que no le tenía rencor. El comportamiento de Sarita, en cambio, me tenía asombrado.

—Pues sí —le dije—, sí es adelanto.

Él sonrió satisfecho, se metió entre el grupo y lo perdí de vista. Ricardo Pórtico parecía muy preocupado:

—Óyeme, este asunto de Gloria se está poniendo demasiado serio para no hacer nada.

—Pues es lo que yo he estado pensando toda la tarde, pero no me atreví a intervenir.

Habíamos llegado al café. Don Leandro, que nos había estado esperando, salió a recibirnos en el umbral.

—Me hubiera interesado mucho asistir a su conferencia —dijo a Rivarolo, al estrecharle la mano—, pero desgraciadamente... —no se entendió lo que dijo.

Nos llevó a la mesa que le gustaba a Sebastián, nos sentamos. Rivarolo quedó entre Sebastián y el joven Angarilla.

—¿Y a este tipo quién lo invitó? —preguntó Espinoza.

La pregunta recorrió la mesa sin encontrar respuesta.

Sebastián y Rivarolo intercambiaron cortesías y modestias: «quedó muy claro lo que dijo», «yo hubiera querido ser más conciso», etcétera.

—Le recomiendo las enchiladas.

Hubo la confusión de costumbre: unos no hallaban por qué decidirse, si por las enchiladas o por los frijoles refritos, don Leandro no entendió cuántas cubas libres habíamos pedido, alguien cambió de opinión, en vez del brandy con soda...

Malagón no estaba en la mesa.

Hubo un rato de conversación dispersa y de pronto, Rivarolo se quedó callado. Acababa de darse cuenta de que estaba rodeado de obras de arte: los murales.

Primero miró a su alrededor, después se caló las gafas y fijó la vista en un punto de la pared, por último se las quitó y entrecerró los ojos. Los demás lo mirábamos sin atrevernos casi a respirar.

—¿Qué es esto? —preguntó por fin.

Aunque la pregunta no era muy alentadora, Sebastián Montaña se atrevió a decir:

—Unos murales.

—Son una mierda irredenta.

El mal estaba hecho. La cordialidad había sido destruida. Pero podíamos haber seguido comiendo, en silencio, ofendidos en lo más íntimo, pero sin necesidad de confesar que nosotros éramos los pintores. Esto hubiera pasado si en la mesa no hubiéramos estado más que el insultante y los insultados. ¡Pero había un intruso! El joven Angarilla. A Sebastián no le quedó más remedio que explicar:

—Pues sabe usted, que una noche...

Cuando supo quiénes eran los autores, Rivarolo se puso como jitomate, volvió a examinar los murales y empezó a encontrarles virtudes.

—Es pintura muy sincera —dijo.

—¡Qué va! —contestamos— ¡Si son pura broma! Los hicimos a la carrera.

La cena fue consumida en un silencio glacial. Al terminar el café, acompañamos al visitante, no al Padilla, como era costumbre, sino al sitio de coches más cercano.

Angarilla se había despedido en la puerta del café, y cuando se alejaba, Espinoza me había dicho:

—Si algún día este cabrón me pide de sinodal, lo trueno.

Al llegar al sitio de coches, Sebastián, en vez de abrazar a Rivarolo, le dio la mano.

—Que pase usted buena noche —le dijo.

El coche arrancó. Todavía se veían las calaveras cuando Sebastián levantó los ojos al cielo, cerró los puños, dio un taconazo y dijo:

—¡Carajo, me fajo, me rajo, me cago y me acongojo...! —se dio cuenta de que había una dama presente—. ¡Ay, perdóname, Justinita, ya te falté al respeto!

Para tranquilizarlo, Justine dijo:

—Te advierto que la misma conferencia que oí esta noche, la oí hace cinco años en Caracas, dicha por otro individuo y aplicada a Pico de la Mirandola.

Fuimos por el pasaje donde venden los churros echando pestes a Rivarolo. «Yo sí noté que para ser tan elocuente no había dicho nada interesante!», «¡qué criterio tan pobre de juicio!», «¡qué metida de pata dio este tipo!», etcétera. Cuando salimos al Triunfo de Bustos —el estado de ánimo general nos impulsaba irresistiblemente hacia la casa de Espinoza a seguir bebiendo—, vimos a Gloria y a Rocafuerte, que regresaban de cenar en la Flor de Cuévano y se dirigían al Thunderbird, que estaba estacionado frente a la casa de los Espinoza.

Los saludamos como si tuviéramos meses de no verlos. Rocafuerte iba a llevar a Gloria a su casa —nos explicó todo esto minuciosamente para que viéramos que no iba a cometerse ninguna inmoralidad aquella noche—, en donde ella iba a tener un pleito con la familia, pasar la noche y hacer sus maletas. Al día siguiente, a las once, iría a instalarse en casa de los Espinoza —que salían para México en el autobús de esa hora—, y Rocafuerte comenzaría los trámites para casarse lo más pronto posible.

—Yo le prometo, licenciado —le dijo a Espinoza—, que sabremos corresponder a este favor tan grande que nos está usted haciendo al prestarnos su casa. No se cometerá en ella ninguna inmoralidad. Cuando yo tenga todo arreglado vendré por Gloria, para llevarla a la iglesia.

En su nueva personalidad de novio responsable era todavía más repulsivo que como joven de porvenir. Espinoza contestó algo así como que yo los dejo en mi casa y no me importa lo que pase en ella. Gloria, que estaba muy emocionada por el apoyo que le habíamos dado, se despidió de todos de beso —era la primera vez que me besaba— y después abrió la puerta de la casa con la llave que Sarita le había prestado, para que entráramos. Se subieron en el coche y se fueron. Nosotros entramos en la casa de Espinoza.

Lo que pasó después fue confuso. Estábamos subiendo los escalones del vestíbulo, cuando oímos que Espinoza, que iba a la cabeza y entraba en ese momento en el recibidor decía, «¡hola!»

Cuando entré en el recibidor vi, por entre las cabezas de los que iban adelante, algo que parecía casi natural. Sarita y Malagón estaban sentados en el sofá. Sarita se veía muy tranquila.

—¿Cómo entraron? —preguntó.

Malagón estaba demudado.

Ambos tenían en las manos algo. ¿Tarjetas postales? ¿fotografías? En el sofá, al lado de Malagón, había un objeto que yo conocía, pero que casi había olvidado: la cajita metálica de pastillas para la tos.

La escena no era dramática. No se parecía a la que Sarita y yo habíamos imaginado con tanto detalle: Espinoza descubriendo a su mujer en adulterio. Más bien correspondía a otra situación: la dueña de la casa tiene visita y entra un grupo cuando ella menos se lo espera.

Después supe que yo era el único que había visto la cajita. Probablemente a nadie se le hubiera ocurrido examinar las fotografías que ellos tenían en las manos si Malagón no mete la pata. Mientras Espinoza explicaba a Sarita que Gloria había abierto la puerta con la llave, etcétera, Malagón le quitó a Sarita las fotos que ella tenía, y juntándolas con las suyas quiso guardarlas, atrayendo la atención a la cajita metálica, que Espinoza, Carlitos y yo conocíamos.

Espinoza creció como dos centímetros.

—¿Qué significa esto? —preguntó con voz impostada.

Ocurrió lo que nadie esperaba. En vez de dar explicaciones, o esperar a que Sarita las diera —que hubiera sido lo más prudente—, Malagón se puso de pie con rapidez, llegó a la ventana de un salto, bajó el picaporte, abrió la vidriera y brincó por el balcón a la calle del Triunfo de Bustos. Fue la segunda luxación compuesta de aquella fecha.

Cuando nos recuperamos del pasmo empezó la confusión. Espinoza apretó las quijadas y gritó entre dientes una palabra que yo no lo hubiera creído capaz de pronunciar: «canalla». Aunque nadie trató de impedirle el paso, chocó contra todos antes de llegar a la puerta. Dejó abierta la de la calle.

—Yo no entiendo qué pasa —dijo Justine.

—¡Está furioso —dijo Sebastián—, lo va a matar! —y salió corriendo.

Carlitos y yo, sin ponernos de acuerdo, lo seguimos.

Cuando iba yo corriendo por el callejón de Loreto, comprendí que me urgía tomar una decisión: la figura de Espinoza iba creciendo, porque corría más despacio que yo, y Malagón llegaba apenas en ese momento, cojeando, a donde desemboca el callejón en la plaza de la Libertad. Es decir, que en diez segundos iba a alcanzar al perseguidor y al perseguido. Carlitos y Sebastián se habían quedado muy atrás. ¿Qué actitud tomar? ¿Por qué corría yo? ¿Para evitar que Espinoza golpeara a Malagón? ¿O para ayudar a golpearlo? Después de todo, yo también tenía derecho a sentirme ofendido ¿o no?

En ese momento, mis dudas se resolvieron. Malagón no pudo más y se sentó en la banqueta, Espinoza lo alcanzó, y en vez de patear al que estaba sentado, le dijo:

—¡Te conmino perentoriamente a que me pidas perdón!

—Sí, perdón, perdón —dijo Malagón y levantó los brazos para atajar los golpes imaginarios que nadie le daba.

Esta actitud derrotista puso malas ideas en la cabeza de Espinoza, que le dio un golpe a Malagón en la cabeza y se lastimó la mano.

—Calma —les dije y empecé a jadear.

—Este tipo... —empezó a decir Espinoza y no pudo seguir hablando.

Llegaron Carlitos y Sebastián Montaña, también sofocados. Carlitos, que se consideraba cardiaco, se daba aire con la mano, Sebastián tuvo que aflojarse la corbata por primera vez en la historia, Malagón puso los codos en las rodillas y apoyó la cabeza en las manos, mirando al adoquín.

Por fin, cuando cobró el aliento, Sebastián Montaña, con tacto admirable, echó el discurso de la carne es flaca:

—No voy a tratar de demostrar que la actitud de Isidro —Malagón— no sea reprensible. Lo es, y mucho. ¿Pero quién de nosotros no ha sido víctima de vez en cuando de sus malas pasiones? ¿Quién no ha sido tentado por el demonio de la carne? ¿Quién no ha *caído* en la tentación? Después de demostrar que las acciones de Isidro pueden ser reprensibles, pero que son, como no, perdonables, estudiemos el otro aspecto de la situación, más edificante: ¿Qué ha pasado en realidad? Nada absolutamente. Tu honor, Espinoza, está a salvo. Y te lo decimos todos los que estamos aquí. ¿Gracias a quién? A Sarita, tu esposa, que se portó con una discreción admirable. Vio las fotos, porque no le quedaba más remedio, para no ofender al amigo de la casa, pero no cedió, ni perdió su nivel de gran señora. ¿No están ustedes de acuerdo, muchachos?

Carlitos y yo dijimos que sí.

—Entonces —siguió Sebastián—, yo te pido, ofendido, que le des la mano a tu ofensor, y que nos vayamos todos juntos a tomar una última copita. Yo los invito a mi casa.

Entonces, nadie sabe por qué, se enfureció Espinoza.

—¡Traición —gritó—, soy un cornudo! —como alguien encendió una luz en un segundo piso, bajó la voz y dijo en un susurro —¡Yo a éste lo mato!

Sebastián y Carlitos Mendieta le decían cosas en voz baja, para tranquilizarlo. Espinoza seguía furioso, pero se fue yendo con ellos hacia su casa. Cuando los tres se alejaban, cuesta abajo, por el callejón de Loreto, me senté en la banqueta, al lado de Malagón.

—¡Ay, Paco, qué mala suerte la mía! —me dijo— ¡Qué vergüenza tengo!

Para distraerlo le pregunté por qué cojeaba, y él se quitó el zapato. Tenía el tobillo inflamado. Como ninguno de los dos traía pañuelo, lo vendé con su propia corbata. Él sacó un cigarro y lo encendió.

—Después de todo —dijo—, la cosa pudo haber sido peor. Hice el ridículo, pero entre ustedes. Si todo esto pasa una hora antes, me hubiera visto la gente que sale del cine. ¿Te das cuenta? ¡Ser humillado ante setecientos cuevanenses!

Dejó pasar un rato y después dijo:

—Hubiera sido cuestión de irme a vivir a otro pueblo. ¿Y a dónde me voy, Paco, si yo nací aquí?

Estaba muy angustiado. Para tranquilizarlo, traté de hablar de otra cosa. Le conté lo que había pasado en el café de don Leandro, lo que había opinado Rivarolo de nuestros murales. Él parecía que me escuchaba atento, pero de vez en cuando me interrumpía para preguntarme:

—¿Habré perjudicado a Sarita?

O bien:

—¿Habré destruido un hogar, Paco?

Después, pareció interesarse por lo que yo le estaba contando y discutimos a Rivarolo.

Estuvimos allí mucho rato, fumando. Hacía frío. Pasaron un policía y un perro, caminando en direcciones opuestas. Hablé del otro suceso interesante del día, de Gloria. Dije:

—Delante de todos, Rocafuerte se comprometió a ir a sacarla, virgen, de casa de los Espinoza, para llevarla a la iglesia.

Malagón rio por primera vez.

—¡Qué tipo tan cursi!

—Bueno —le dije—. Después de todo, más le vale cumplir esa promesa. Si no, ¿te imaginas, con un cadáver en casa prestada? En el lío en que se mete.

—¿Por qué con un cadáver?

—El de Gloria.

—¿Por qué el de Gloria?

—Porque está enferma.

—¿Está enferma? ¿De qué?

—Del corazón. Tú me dijiste.

—¿Yo te dije que Gloria está enferma del corazón?

—Sí. La noche en que estuviste en la comisaría y que nos fuimos cantando hasta la presa de los Atribulados, tú me dijiste, cuando estábamos esperando el camión fuera del hotel Padilla, que Gloria estaba enferma del corazón y que todos los médicos están de acuerdo en que cuando tenga el primer orgasmo, se va a quedar muerta.

Malagón me miraba fijamente mientras yo hablaba. Su rostro se fue transformando. Parecía divertido, después, admirado.

—Oye —me dijo al final—, qué ingenioso soy a veces, cuando estoy borracho. ¡Las cosas que se me ocurren!

15. LOS ADIOSES

Cada vez que me acuerdo de aquella noche me asombro y me digo, ¡fuiste un santo! Acompañé a Malagón, sosteniéndolo, porque no podía poner el pie en el suelo, hasta su casa del callejón de la Potranca, lo ayudé a subir la escalera y a sentarse en su sillón predilecto, fui a despertar a la criada que tenía sueño de piedra, y no salí de la casa hasta que Malagón estuvo con la pierna estirada, apoyada en un banquito, y la criada envuelta en un rebozo empezó a ponerle fomentos. Ni un reproche le hice. ¡Qué noble fui!

Cuando salí a la calle lo maldije. Me imaginé diciéndole a Malagón en tono severo: decir que una mujer está enferma del corazón cuando está sana, es difamarla. Esa clase de mentiras, agregaba yo en mi mente, no se le cuentan a un amigo. Después me acordé de la escena con Sarita. ¡Libidinoso de mierda! ¡Y además de libidinoso, pendejo! ¡Enseñarle fotos pornográficas a Sarita, que nunca necesitó aliciente!

Había llegado otra vez al lugar donde desemboca el callejón de Loreto en la plaza de la Libertad. Por un momento sentí el impulso de ir a casa de los Espinoza a contarles mi descubrimiento. ¿Y a ellos qué les importa, pensé después, que Gloria esté sana, si no saben que está enferma?

Faltaban cinco para las dos. Tomé un taxi. Me voy a mi cama, pensé, solo, con mi amargura.

Cuando pasé por la casa de las Begonia me acordé de la tristeza que me había dado cuando vi aparecer en el grafógrafo la palabra «corazón». ¡Lo que es no entender a las mujeres! Y lo que pasó después en la biblioteca, cuando Gloria y yo estábamos leyendo el índice de la *Verdadera historia* de Berrihondo? «No siga», me había dicho ella, «que soy una mujer apasionada». La tuve en mis manos y la dejé ir. Por culpa de Malagón. Si aquel día me hubiera empeñado en conquistarla, lo hubiera conseguido. Soy más feo y más pobre que Rocafuerte, pensé, pero más simpático.

Cuando entré en el vestíbulo del hotel noté que, cosa rara a aquellas horas, la luz del bar estaba encendida. El Pelón bostezaba detrás de la barra y en una mesa había dos parroquianos: Rivarolo y Angarilla. Ellos no me vieron y pasé de largo. ¿Por qué despedirse en la puerta del café de don Leandro, si iban a volver a encontrarse más tarde? Podían haberse ido en el mismo coche, ¿o no?

Al abrir la puerta de mi cuarto, vi, a través de mi ventana, cuya persiana estaba levantada, la vidriera cerrada y oscura de Gloria. Entonces se me vino encima con toda claridad el tamaño de la tragedia: Gloria era adorable y yo la había perdido para siempre.

Me dejé caer en la cama y pensé, mientras me desataba los zapatos: no voy a poder dormir.

Desperté sólo en dos ocasiones. Alguien en el pasillo dio un portazo, y yo brinqué a la ventana para ver si Rocafuerte estaba escalando el balcón de Gloria. Nada. Todo en orden: la ventana de Gloria cerrada, los oscuros echados, la luz del portal encendida. Volví a la cama y seguí durmiendo.

La segunda vez me despertó un pleito de pájaros. Estaba amaneciendo. Volví a la ventana. ¿Qué esperaba ver? No recuerdo. Vi al joven Angarilla saliendo del hotel, cruzar el arco triunfal, levantarse las solapas del saco para protegerse del frío, detenerse, con la esperanza probablemente de que ya hubiera servicio de camiones a esa hora, comprender que no lo había y echar a andar cuesta abajo por el paseo de los Tepozanes, con las manos en los bolsillos. El misterio de la cama ancha que quería el doctor Rivarolo había sido revelado. Volví a la cama y me quedé dormido.

Cuando volví a despertar el sol entraba por la ventana con fuerza y se alcanzaba a ver un pedacito de cielo azul fuerte. Recordé lo que había pasado la noche anterior y me dije:

—Eres muy infeliz.

Era muy infeliz y eran las nueve y media. Brinqué a la ventana. La vidriera de Gloria estaba abierta, no se veía a nadie en la habitación. El nido está vacío, pensé y entré en el baño.

Más tarde, cuando me ponía la camisa, mirando de vez en cuando la ventana de Gloria, repasé las emociones variadas que me había producido la contemplación de aquella casa ridícula: alegría, cuando vi a Gloria por primera vez, riendo en el balcón; más que alegría, la impresión de que mi vida estaba a punto de comenzar de nuevo. Melancolía cuando creí que aquel monstruo arquitectónico albergaba a una moribunda. Curiosidad morbosa, cuando vi al doctor y a la Rapaceja tomando el té aquella mañana. ¿Y ahora, qué sentía? ¿Desesperanza? El cochecito no estaba.

Rocafuerte estaba en el comedor, comiendo papaya. Este tipo toma las cosas con calma, pensé.

Cuando me vio, agitó la mano y movió la silla de junto para indicarme que me sentara. Acepté.

—Quiero disculparme de la escena que hizo mi suegra —me dijo—. Tan agradable que había estado la tarde y ella echó todo a perder.

—Al contrario —le contesté— fue el momento culminante del día. ¡Qué del día! Del semestre. Es un episodio estelar en la lucha de las generaciones.

—Todo esto empezó el día anterior —me dijo; noté que estaba de mal humor, acuchillaba la papaya—, cuando su marido me dijo degenerado. Yo no sé qué pasó. Tanto que me querían esos dos. Y de repente todo cambia nomás porque dije que me gustaba una película que a ellos no les gustó. Ahora ya no hay manera de dar paso atrás, ya es pleito.

—Gloria fue admirable.

—Sí, claro.

—Y muy valiente.

—De acuerdo.

—Logró lo que pocas mujeres en la historia de Cuévano: oponerse con éxito a sus padres.

—Yo hubiera preferido que las cosas siguieran el camino que llevaban. Ahora comprendo que el doctor tenía razón. Era mucho más conveniente que esperáramos al año que entra, en vez de casarnos inmediatamente, como va a tener que ser.

—¿Y cómo sigue Gloria?

—¿Cómo sigue de qué?

—De su enfermedad.

—Gloria no tiene ninguna enfermedad. Es una mujer muy sana.

—¿Ah, sí? Entonces debo de estar mal informado.

—¿Mal informado de qué?

—Alguien me ha dicho que Gloria está enferma.

—No es verdad.

—No me lo ha dicho una persona, sino varias. Ayer precisamente estaba comentando con los Pórtico, cuando veíamos que tu matrimonio se venía encima, si no sería una locura la que van ustedes a cometer.

—¿En qué sentido una locura?

—Si fuera verdad lo que sé, tú lo sabrías mejor que nadie. Tú quieres a Gloria, ella te quiere, te vas a casar con ella. Si estuviera enferma te lo hubiera dicho. Es una mujer sincera.

—Por supuesto.

—Ya ves lo que es Cuévano. Alguien inventa una cosa, se la cuenta a otro, éste la repite y en una semana tienes a todo el pueblo convencido de que es verdad.

—¿De modo que tú has comentado con los Pórtico la enfermedad de Gloria?

—Varias veces.

—Yo no sé nada.

—Ni tenías por qué saberlo. Quedamos en que Gloria no tiene nada. Lo cual concuerda con su aspecto físico. Cuando yo la creí enferma, siempre me asombraba lo sana que se ve.

—¿Qué clase de enfermedad dicen que tiene?

—Bueno, pues dicen que Gloria nació con un defecto en una arteria y el corazón tenía que trabajar demasiado y fue creciendo hasta llegar a ser demasiado grande. Parece que…, bueno, dicen que Gloria y sus padres han ido a ver a varios especialistas, y que todos los diagnósticos coinciden en que ese corazón no puede resistir cierta clase de esfuerzos, como por ejemplo, bueno, perdóname que sea tan franco, pero es lo que dicen: como por ejemplo, un orgasmo.

—¿Un orgasmo? —preguntó Rocafuerte, como si nunca hubiera oído esa palabra.

—Sí. Un orgasmo.

—¿Gloria no puede resistir un orgasmo?

—Eso dicen —lo vi tan desconcertado que decidí hacerle una explicación científica—. Parece que en el momento de producirse el orgasmo los vasos sanguíneos se contraen y eso hace que la tensión arterial aumente de manera considerable, cosa que para un cardiaco puede resultar fatal.

Me di cuenta de que lo que yo había creído que era horror en la expresión de Rocafuerte era nomás incredulidad. De pronto sonrió.

—Creo que sí, en efecto, estás mal informado —me dijo.

—Bueno, hay esa posibilidad.

—No. No es posibilidad. Es seguridad. ¿Cómo te explicaré? —lo vi dudar—. No quisiera ser indiscreto, pero en vista de que te han contado esa historia, no me queda más remedio. Mira, Gloria sí puede resistir el orgasmo. Aquí arriba, en mi cuarto, ha resistido cuando menos quince. En la huerta de su casa, cerca del rosal de Castilla, también resistió el orgasmo, y en los jardines del doctor Cruchet también ha resistido el orgasmo varias veces, ayer, nada menos, cuando empezó a llover, acababa de resistir un orgasmo sin ninguna dificultad. También en Pedrones ha resistido el orgasmo una docena de veces. Te doy este dato, porque Pedrones es mucho más bajo que Cuévano y la diferencia de altitudes podría afectar el funcionamiento del corazón, pero no, Gloria no ha tenido ningún problema en Pedrones. Lo cual me hace pensar que, como ya te dije, la información que te han dado no es correcta. Yo te suplico que cuando platiques con los Pórtico y con las demás personas que te han dicho que Gloria está enferma del corazón, les digas esto que acabo de explicarte para que no estén con el pendiente.

Miró su reloj y dijo:

—Me voy, porque tengo cita con el Gobernador.

Se levantó de la mesa y cogió un palillo.

—Espero que vengas a la boda.

Sonrió y salió del comedor picándose los dientes.

Antes de terminar el desayuno lo vi cruzar el vestíbulo con su traje azul pavo.

El camión me dejó en Campomanes, fui por el pasaje donde venden los churros a la calle del Triunfo de Bustos, la crucé y llamé a la puerta de los Espinoza. ¡Qué cosa tan rara!, pensé, cuando Gloria me abrió la puerta: tenía rizadores en la cabeza. Al verme se sobresaltó, trató de cerrar la puerta, rio y echó a correr hacia el interior de la casa.

—No quiero que me veas así —dijo.

Fue la primera vez que me habló de tú.

ÍNDICE